Fibonacci's Rabbits

創元ビジュアル科学シリーズ❸

フィボナッチの兎

偉大な発見でたどる数学の歴史

And 49 Other Discoveries that Revolutionised Mathematics

by Adam Hart-Davis

アダム・ハート=デイヴィス

著

緑 慎也 訳

創元社

著者　アダム・ハート＝デイヴィス（Adam Hart-Davis）
1943年生まれ。オックスフォード大学で修士号、ヨーク大学で博士号を取得。専攻は化学。科学書の編集やプロデューサーとしてテレビ番組制作に携わった後、著述家、写真家、歴史家、テレビ番組の司会者として活躍。著書は30冊を超える。主な著書に『サイエンス大図鑑』（河出書房新社）、『時間の図鑑』（悠書館）、『世界を変えた技術革新大百科』（東洋書林）などがある。

訳者　緑　慎也（みどり・しんや）
1976年、大阪生まれ。出版社勤務、月刊誌記者を経てフリーに。科学技術を中心に取材活動をしている。著書『消えた伝説のサル　ベンツ』（ポプラ社）、共著『山中伸弥先生に聞いた「iPS細胞」』（講談社）、翻訳『大人のためのやり直し講座　幾何学』『デカルトの悪魔はなぜ笑うのか』『「数」はいかに世界を変えたか』（創元社）など。

協力　森　一（もり・はじめ）

Conceived and produced by
Elwin Street Productions Limited
14 Clerkenwell Green
London EC1R 0DP
www.elwinstreet.com

創元ビジュアル科学シリーズ❸
フィボナッチの兎
――偉大な発見でたどる数学の歴史

2020年10月10日　第１版第１刷発行

著　者　アダム・ハート＝デイヴィス
訳　者　緑　慎也
発行者　矢部敬一
発行所　株式会社　創元社
〈本　　社〉〒541-0047 大阪市中央区淡路町4-3-6
Tel.06-6231-9010　Fax.06-6233-3111
〈東京支店〉〒101-0051 東京都千代田区神田神保町1-2 田辺ビル
Tel.03-6811-0662
https://www.sogensha.co.jp/

Japanese edition © 2020, Printed in China　ISBN978-4-422-41427-0 C0341

フィボナッチの兎　目次

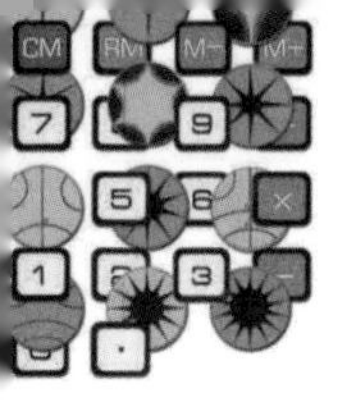

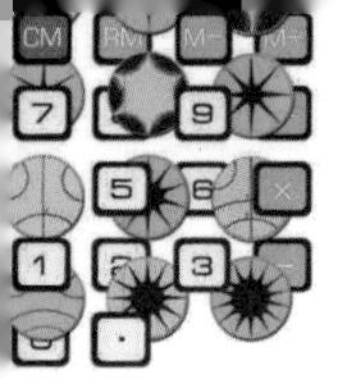
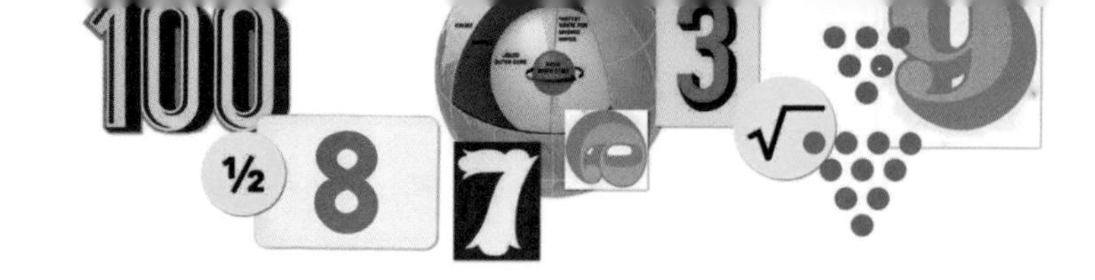

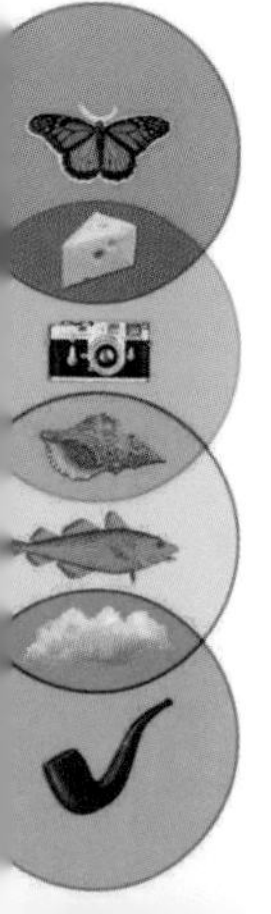

第7章 コンピューター時代 1950年～　154

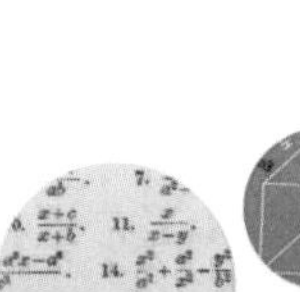

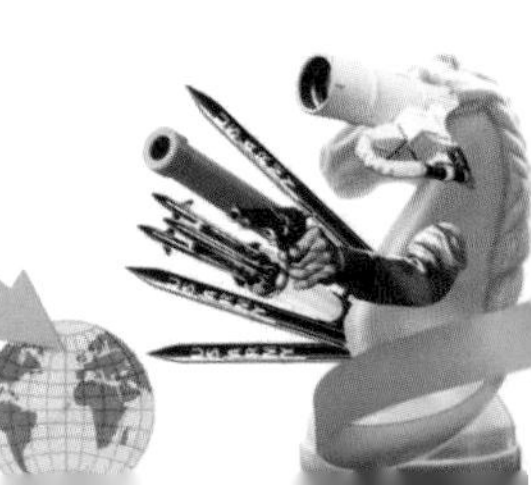

まえがき

数学には独自のパターンと繊細さがあり、物理的な世界に縛られない。弾丸の重さ、空の青さ、火薬の可燃性といった現実世界の現象に、数学は関わらないのだ。そこが他の科学には見られない、数学ならではの特徴といえるだろう。数学を発展させるのは、純粋な直感と論理だ。最近まで数学者たちは、驚異の世界を紡ぎ出すのに紙と鉛筆以外のものをほとんど必要としなかったくらいである。

多くの動物――カラス、ラット、チンパンジーは、かなり大きな数まで数えることができることが実験から明らかになっている。したがって初期の人類が指も使わずに本能で数を数えていたとしても不思議ではない。

最初期の数学を開拓した人物のひとりがピタゴラスだ。彼は紀元前571年にサモス島に生まれ、南イタリアのクロトンで数学の学校を設立した。その学生は豆を食べること、白い羽毛に触れること、日光のもとで「水を漏らす」ことを禁じられたという。斜辺上の正方形に関する有名な定理（$x^2+y^2=z^2$）を生み出したのはピタゴラスではない。しかし、それを証明した。彼は証明という概念をはじめて確立し、その後、証明は数学の基本原則のひとつとなった。証明は数学のすべてといっても言いすぎではない。一方、科学には何かを証明することができない。科学者は何かが誤りであることは証明できるが、正しいことを証明することはできないのだ。

フェルマーの最終定理の核心も証明にある。ピタゴラスの定理に関する書物の欄外に、フランスの弁護士であったピエール・ド・フェルマーは、$x^n+y^n=z^n$ において n が2より大きいとき、これを満たす整数の値は存在しないと書き込んだ。そして「わたしは美しい証明を発見したが、この余白には書き切れない」と記した。このメモは1665年にフェルマーが亡くなったときに発見された。以後330年にわたり、すぐれた数学者たちがその証明を探し求めたが、無駄だった。ついにアンドリュー・ワイルズがこの難問を解いたのは1995年だ。といってもワイルズの証明は150ページに達する。さらにフェルマーの時代にはまだ知られていなかった手法も用いられている。フェルマーが欄外に記した通り、本当に「証明を発見した」のかどうかはわからない。

数学を使えば、パズルを的確に表すことができる。フィボナッチという名前で知られるピサのレオナルドは、1202年の著書『算盤の書（計算の書）』の中で、ある興味深い数列を、一種のパズルとして紹介した。1組のつがいのウサギがいるとする。ウサギが生殖年齢に達するのは1か月後だ。その後つがいは1組の赤ちゃんを生む。その次に赤ちゃんを生めるようになるのはさらに1か月後だ。問題は「毎月末、ウサギのつがいの数はいくつになっているか？」。答えは1, 1, 2, 3, 5, 8, 13, 21, 34とつづく。この数列は、となり合うふたつの数を足して次の数とすることをくりかえしながら無限につづく。これがフィボナッチ数列だ。この数列は、自然界の至るところに現れる。花びらの数は多くの場合、3、5、または8枚だ。まつぼっくりのうろこは、ふつう時計回りに8周、その外側では反時計回りに13周ついている。フィボナッチはたいへん目端の利く人間だったらしく、旅行中にアラビア数字も習得して、西欧に紹介した。

フィボナッチの貢献がなければ、その後登場した数学の先駆者たちが新たな発見をすることもなかっただろう。フィボナッチがいなければ、ニュートンとライプニッツは微積分にたどりつかなかったはずだ。微積分が発明されなければオイラー、ガウス、ラグランジュ、パスカルのひらめきもなかった。ガロア、ポアンカレ、チューリング、ミルザハニの達成もまたなかった……こうした数学者のリストはどこまでもつづく。フェルマーの最終定理の証明もまた存在しなかったにちがいない。

数学的発見はすべて、フィボナッチのウサギの数列のように、先行する何かの上に築かれ、さらに大きく育ったものだ。その成長はいまもつづいている。

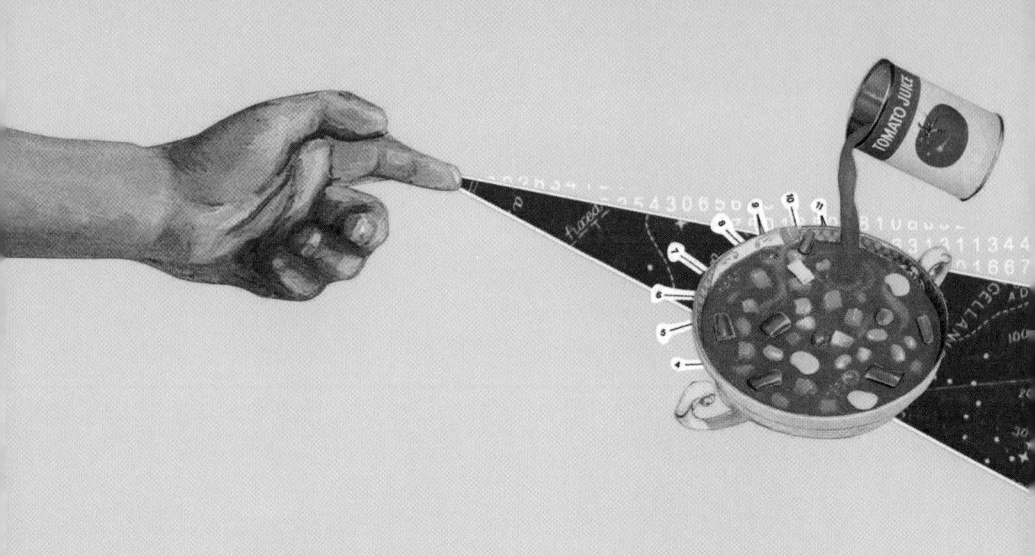

第1章 いにしえを訪ねて

紀元前2万年～紀元前400年

　数学はいつはじまったのか。いつ発明されたのか。それは誰にもわからない。そもそも人々は数学を発明したのか、それとも数学は宇宙にすでに存在し、発見されるのを待っていたのか？　これは古くからの哲学的な疑問だ。多くの動物は4か5まで数えることができる。原始時代の人類さえ、自分の家族や動物の群れの数を把握できていたのはまちがいないだろう。

　指でものを数えることは第二の本能と言っていい。小枝や割符などの小物を使って数えはじめるまでそれほど長い時間はかからなかっただろう。

しかし単純で実用的な問題から、抽象的な思考に移行するのは、大きな一歩だったにちがいない。この初期段階がどのようなものだったのか、その記録はない。ギリシャ文明が台頭するまで、書き記すという習慣自体がなかったからだ。ギリシャ文明は地中海の都市国家、特にクロトン、アテネ、アレクサンドリアで栄えた。ギリシャの最古の哲学者の一人、ミレトスのタレスは、日食を予測した。これは衝撃的な偉業で、戦争を止めたと言われるほどだ。タレスがどうやって日食を予測したか正確にはわかっていない。しかし数学を用いた可能性は十分ある。

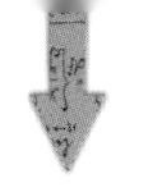

紀元前**2万**年

- **研究者**……………………………
  古代人たち
- **結論**……………………………
  初期の人類は骨に刻み目を刻んで数えた。

イシャンゴの骨に刻まれたのは？

数を数えた最初の証拠

地球上の生命の歴史は、化石に記録されている。化石とは、岩の中から発見されたり掘り出されたりする古代生物の残骸だ。特に骨は軟らかな組織よりも化石として残りやすい。

いくつかの古代の骨には、数学の黎明期の証拠が含まれている。その証拠とは古代の人が骨につけた刻み目だ。そこから数千年前に、さまざまな種類の数え方があったことがわかる。

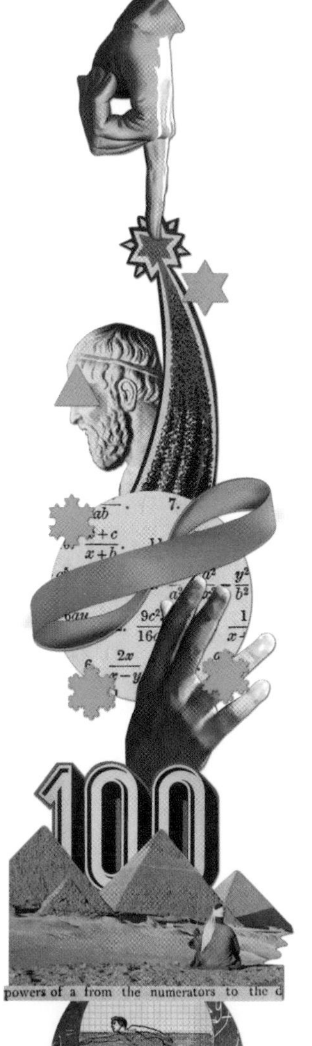

レボンボの骨

レボンボの骨は、1970年代に考古学者ピーター・ボーモントによって、南アフリカとスワジランドのあいだにあるレボンボ山の洞窟で発見された。この長さ8センチメートルのヒヒの腓骨（脚の骨）は4万4,000年前のもので、29個の刻み目がある。定規として使われたのかもしれないが、29という刻み目の数から、月の暦として使われた可能性もある。

彼の地の人々は、新月が現れるたびに集会やお祭りを開き、月の再生を願ったのだろう。月が周期を一周するには約29日かかる。29個の刻み目をつけた骨の持ち主には次の新月がいつなのか予測できたはずだ。ただし、骨の一方の端は明らかに折れているので、もともとの刻み目は29個以上あった可能性もある。

イシャンゴの骨

イシャンゴは、コンゴ民主共和国のヴィルンガ国立公園の一部で、ナイル川の源流地のひとつでもある。ここで1960年に、ベルギーの探検家ジャン・ド・ハインゼラン・ド・ブラクール（1920～1998年）は薄い茶色の骨を発見した。これもヒヒの腓骨であることがわかっている。長さは10センチメートルで、鉛筆程度の長さだ。一方の端に水晶が固定されていることから、筆記具のように見える。ただし、その長い方に沿って、一連の刻み目が並んでいる。意図的に刻まれたのはまちがいないだろう。

イシャンゴの骨はおそらく約2万年前のもので、長い方に沿って3行（または列）のひっかき傷または刻み目がある。それらはいくつかのかたまりに分かれ、数を表していると考えられている。1行目には、7、5、5、10、8、4、6、3（合計48個）の刻み目がある。2行目には9、19、21、11（合計60個）、3行目には19、17、13、11（合計60個）の刻み目がある。

イシャンゴの骨に刻まれた印

分けられた割符

もともと骨は割符として使われていた。このような割符はひんぱんに見つかる。備忘の目的で（記憶を呼び起こす目印として）使われていたようだ。多くの場合、割符はハシバミでつくることが多く、金融取引で使われた。一連の刻み目で金額を記録したあと、骨が割られ、取引をする者同士がそれぞれ半分の割符を持つ。こうして各当事者が取引の記録を持てるようになった。

月の暦

骨が月の満ち欠けに対応した6か月カレンダーを表している可能性もある。満月から半月まで、半月から新月までというように、月の各四半周期は約7日である。1行目に、四半期のすべての夜を記録しようとしたのではないだろうか。イシャンゴ地域が多くの時間曇っていて、観測が困難であったからこのような記録が必要だったのかもしれない。

これは数学黎明期の記録か？

60年ものあいだ、研究者たちは刻み目が示す数の重要性について議論してきた。発見者ド・ハインゼランは当初、これはある種の算数ゲームを示していると考えた。ほかの研究者は、行の合計が60と48であり、両方とも12の倍数だから、12進数、つまり12を基数とした計数法の基礎を示している可能性があるとしている。

右から左に読むと、1行目には3個の刻み目があり、つづいて2倍となる6個の刻み目、4個の次はその2倍の8個、つづく10は半分にすると5になる。2行目と3行目の刻み目はすべて奇数だ。2行目の刻み目は左から（10−1）、（20−1）、（20+1）、（10+1）という並びだ。3行目は4つのかたまりに分かれ、各かたまりには素数が含まれているように見える。実際、10から20のあいだのすべての素数があるのだ。2万年前に素数の概念が理解されていたのだろうか。それはちょっと考えにくい。

数学史家ピーター・ラッドマンは、素数は約2,500年前まで知られていなかったと推定している。割り算が知られたのは、さかのぼって約1万年前だ。それにもかかわらず、これらの数がなぜ刻まれたのか。それはわからないが、こうした数え方がなければ、われわれが知るような数学も存在しなかっただろう。

紀元前**2万**年〜
紀元前**3400**年

●研究者……………………………
古代人たち
●結論……………………………
現代において使われているヒンズー・アラブ数字は、数多くの記数法の中を勝ち抜いて残った。

なぜ10まで数えるのか？

数字のはじまり

数えるとは、文章に含まれる文字や、皿の上のナッツなど、ものの種類を分類して、その数を知ることだ。一日中降りつづく雨粒や、湿原に散らばるヒツジのように、数えたい対象物が長時間あるいは広範囲にわたっている場合には、印をつけるための紙や、刻み目をつけるための棒を利用すればよい。

レボンボの骨（前項を参照）やそのほかの割符を調べると、4万4,000年前、実際そのようにものが数えられていたことがわかる。集団の人数、群れをなす獲物の数、敵の数など、人はさまざまなものを数えていたにちがいない。

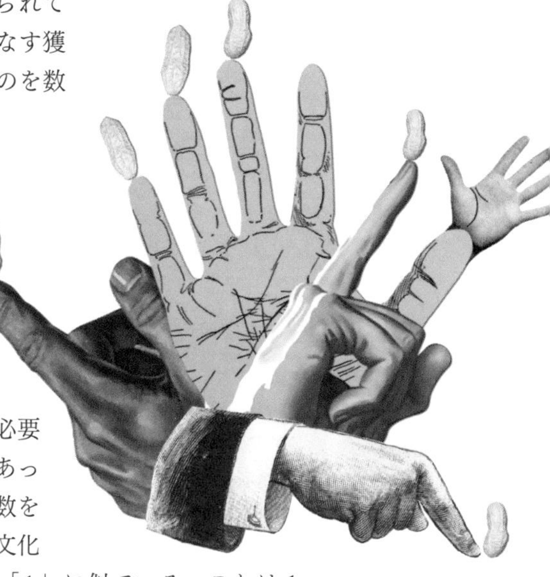

声に出さずに数える

指は割符として使える。皿のナッツが10個未満の場合、ナッツそれぞれの横か上に1本の指を置くと、ナッツと指を対応させることができる。「5」や「7」とは何なのかと考え込む必要はない。数字を知っている必要すらない。ナッツが左手の中指の分まであったことを記録するだけですむ。ナッツの数を表すのにしゃべらなくてもよい。多くの文化圏で、1を示す記号は、アラビア数字の「1」に似ている。これは1本の指をかざしたときの形に似ている。アイルランドの首都ダブリンのパブに行って、1本の指を上げれば、1パイントのギネスビールが手に入るはずだ。

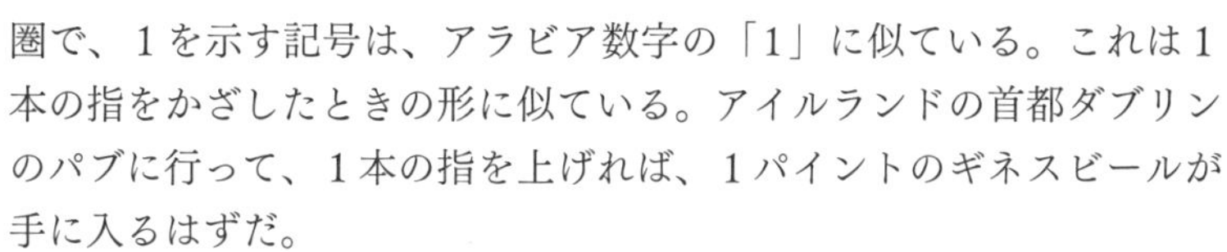

新たな記数法

人々がいつ話しはじめたのか、つまり言葉を使うようになったのか正確にはわかっていない。しかし、言語を使いはじめてすぐに、数を示す単語が生まれたと考えられる。たとえその数え方が「1」「2」「たくさん」しかなかったとしてもだ。

イランのザグロス山脈では、6,000年以上前の粘土のトークンが発見され、動物の数を記録するのに使われていたことがわかっている。トークンとは1センチメートル程度のさまざまな形状の粘土のことだが、＋の記号が刻印されたトークンは、1頭の羊を表す。このトークンが2枚あれば羊2頭だ。別のトークンは10頭の羊を表した。さらに別のトークンはヤギ10頭だ。これらは、割符とは別の数え方を表している。

最初の抽象的な数字は、現在イラクの一部であるメソポタミアに住んでいたシュメール人によって、紀元前3100年ごろに書かれたと考えられている。シュメール人は60進法（次項を参照）で数え、現在の日本語のように、動物や測定値など、対象に合わせて、いくつかの数詞を使っていた〔訳注：○個、○匹、○羽などの数詞の使い分けのこと〕。

少し時代が下って紀元前3000年、エジプト人は独自の数え方を開発した。この記数法は古代ローマの記数法に似ていたが、10の累乗（1、10、100など）を表す記号があった点で異なる。最も顕著なちがいは、エジプトの記数法では分数が使われていたことだ。これは「開いた口」の象形文字で示される。この新発明は実際的な理由、つまり食べものを複数の人に分けるためなどの必要から生まれたと考えられる。

中国、ローマ、そしてアラビア数字

2,500年以上前、中国の数学者と商人たちは、数を数えたり計算したりするのに棒を使いはじめた。棒はその位置と置き方（水平か垂直か）によって、別の値を示す。彼らは何も置かないことでゼロを表した。正の数には赤い棒を、負の数には黒い棒、あるいは三角形の断面を持つ棒を使うこともあった。

木、骨、または石につけた刻み目が進化して生まれたのがローマ数字だ。I、II、III、IV、V、VI、VII、VIII、IX、Xという記号は、それぞれ1から10を表す。すべて直線でできているので、簡単に刻むことができる。50を示すLと1,000のMも簡単だが、100を示すCと500を示すDは刻みにくい。ローマ数字は計算には絶望的に向いていない。たとえば909×4は、CMIX掛けるIVと表される。

6世紀、インド人は記数法を単純化して、かつ体系化し、今日われわれが使っているような10進数位取りの体系をつくった。この体系は、いくつかの初期の記数法から進化している。元になった記数法は紀元前約3000年まで遡る。一方、アラブ人たちは、0を位取りのために使うインドの体系を、9世紀に自らの記数法に組み込んだ。

これらの数字は、ローマ数字よりはるかに直感的で、計算に向いている。数がその位置に応じて異なる大きさを示す位取りの仕組みが、計算に適しているからだ。たとえば、9は、190の中では90を表し、907の中では900を表す。この単純な仕組みは、ヨーロッパで当初使われていたローマ数字よりもはるかに優れていた。この記数法を1202年にラテン語の著書『算盤の書（計算の書）』でヨーロッパ人に伝えたのがフィボナッチである（57ページ参照）。こういうわけで現在「アラビア」数字の1から10が、欧米で使われているのだ。

紀元前 **2700** 年

●**研究者**……………………………
シュメール人
●**結論**………………………………
今日使われている数の多くが、古代シュメールの記数法に由来している。

なぜ1分は60秒なのか？

シュメールの60進法

われわれは今、10進法の世界に生きている。10、100、1,000、1,000,000とケタが上がる世界だ。それではなぜ基本単位の多く（1日の時間、1時間の分数、角度の度数など）が12、60、360といった6で割り切れる数に基づいているのだろうか。単に、過去の遺物なのか？　それともそれ以上の意味があるのだろうか。

くさび形数字

くさび形数字による60進法（60を基数とした記数法）は、メソポタミアの古代シュメール文明で4〜5,000年前に生まれた。彼らは数字を石、あるいは粘土板に記録した。

シュメールの数学は、古代世界で最も洗練されていたと考えられている。数学はほかの文明にも同じように存在したが、シュメール人たちは数学の達人だったのだ。

シュメール人たちは、最古の文字の体系をつくり上げていた。言語と数字を記録するために、彼らはくさび形の記号を発明し、スタイラスと呼ばれる棒で湿った粘土板に文字を刻んだ。その後、粘土板を乾燥し、天日で干して硬くして、メッセージを永久に保存した。

数字は下向きの記号と斜めの記号の単純な組み合わせで表す。下向きの記号1個で1（1単位）、2個で2、3個で3とつづく。しかし、下向き記号の配置によっては1、60、または3,600を示すこともあった。そのあいだの値は60の倍数として示す。したがって、124は60の記号2個と、1単位の記号4個で表す。

なぜ60？

シュメール数字はローマ数字に少し似ているが、10進法でなく60進法に基づいている。それにしても、なぜ60なのか？　数学者は長いあいだその理由について理論を組み立てようとしてきたが、決定的な答えはない。4世紀に、アレクサンドリアのテオンは、60が1、2、3、4、5で割り切れる最も小さい数であり、約数の数が最大になるからではないかと指摘している。しかし、約数の個数が問題なら、より適切な数はほかにもある。

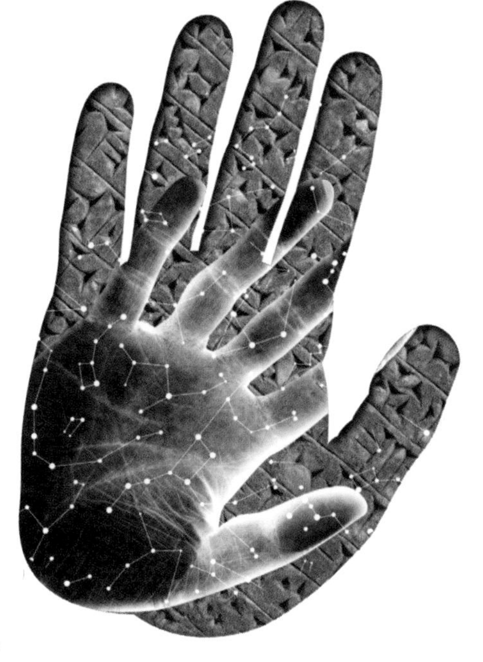

一方、オーストリア系アメリカ人の科学史家オットー・ノイゲバウアーは、60進法はシュメールの度量衡体系から生まれたと考えた。60は商品を3分の1、2分の1、4分の1、5分の1に簡単に分けられるからだ。しかし、度量衡体系から数体系が生まれたのでなく、数体系から度量衡体系が生まれたと主張する人もいる。

鍵を握るのは夜空に浮かぶ星と考える人もいる。当時は夜空が非常に澄んでいたし、夜にはあまりすることがなかった。シュメール人は夜空を熱心に観測し、星座を最初に命名した。星は彼らの暦だった。

星は毎晩少しずつ配置を変え、1年後に同じ場所に戻る。シュメール人は1年が365日であることを探り当てた。19世紀ドイツの数学者モリッツ・カントールは、この365を切り捨てた360が、60進法の起源であると結論づけた。360を6で割れば60だ。それはもっともらしく、1年が360日であれば都合のいいことに12か月は30日ずつに分けられる。なぜ円は現在360度なのかを説明することもできるかもしれない。しかしこの説は憶測にすぎない。

おそらく、60進法は単に、指で数を数えるときの彼らの独特の方法に由来するのだろう。記録によれば、メソポタミアの人々は、われわれとはかなりちがう方法で数えていたようだ。一方の手で、親指を

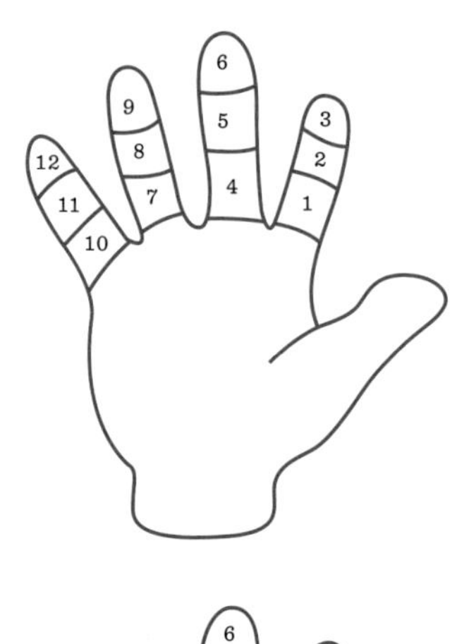

使ってほかの4本の指それぞれの関節で分かれる3つの部分を数え、12まで進む。12それぞれに対して、もう一方の手の親指を上に出し、つづいて4本の指を立て、12を5回数えて60になる。コツを覚えさえすれば、美しく単純で、非常に速い数え方だ。

60進法で数える利点

起源がどうあれ、60が非常に多くの数で割り切れるおかげで、シュメール人は非常に高度な数学の手法を開発する基礎を築くことができた。2017年、デビッド・マンスフィールド率いるオーストラリアの数学者たちは、プリンプトン322と呼ばれるバビロニア粘土板の暗号をついに解読したと発表した。この3,800年前の粘土板は、100年前に実在したインディ・ジョーンズことエドガー・J・バンクスによってイラクで発見された。その後、ニューヨークの出版業者ジョージ・プリンプトンに売却され、さらにコロンビア大学に遺贈された。

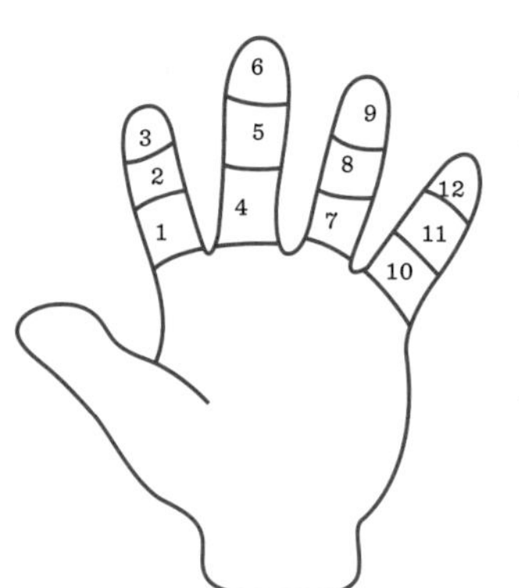

粘土板には、バビロニア様式のくさび形文字で複雑な図表が描かれている。マンスフィールドと彼の同僚によれば、これが初期の三角関数表で、現在使われているものよりも値が正確であるという。3で割り切れる60を基数としているため、3で割り切れない10を基数とした数より、正確な値を表せる場合があるからだ。$\frac{1}{2}$、$\frac{1}{4}$、$\frac{1}{5}$を10進法の小数で表すのは簡単で、それぞれ0.5、0.25、0.2となる。しかし$\frac{1}{3}$は0.3333…で、無限小数になり、正確な値を表せない。

マンスフィールドの主張が正しいかどうかはわからない。しかし、彼らはたしかに基数としての60の利点を示した。ある数を10で割ったり、ある数に10を掛けたりするときは数字の位置を変えるだけで済む。その便利さに、われわれは完全に慣れきっている。小数が計算の範囲を無限に広げたのだ。しかし時間を分割するなど実用的な場面では、60の可分性の高さ（たくさんの数で割りきれる性質）に利点がある。ほかの数体系が現れたり消えたりするなか、60進法が長期にわたって生き残った理由はここにある。1日を10時間とし、1時間を10分にすればよいと真剣に提案する人は（ほとんど）いない。時間を簡単に分割できる60進法が便利だからだ。

円を正方形にできるか？

紀元前 **1650** 年

● 研究者……………………………
古代エジプト人、古代ギリシャ人
● 結論……………………………
πが超越数なため、円を正方形にするのは不可能だ。

無理数と格闘したギリシャ人

古代の数学者の前に出現したもっとも古い難問の一つは、円の正方形化だ。言いかえると、定規とコンパスのみを使って、ある円と同じ面積の正方形を作図できるか？　これは、円の円周と直径の比であるπ（パイ）の正確な値を求めることができるかという問題に帰着する。半径が１（1mmでも1kmでもかまわない）の円の場合、その面積はπとなる。同じ面積の正方形は、πの平方根、すなわち約1.772の長さの辺を持つことになる。

この問題は、古代エジプトのリンドパピルス（次項を参照）で扱われている。円形の土地の面積の近似値を出すために使われたのだ。

ここでは直径の $\frac{1}{9}$ を切り取って、直径の残りの長さを１辺とする正方形を描くことで、円に近い面積の正方形をつくっている。この方法で得られる近似値は $\frac{256}{81}$ すなわち3.16049…である。現在知られているπの値、3.14159…にかなり近い。近くはあるが、円を正方形化するという問題が解決したわけではない。ともかく、円の正方形化をめぐる数学者たちの競争は、ギリシャ人からはじまった。

πを推定する

円を正方形にする問題を最初に研究したギリシャ人はアナクサゴラスと考えられている。紀元前440年ごろ、アテネの刑務所に囚われていたとき、彼はこの問題に取り組んだらしい。数年後、哲学者アンティポンが円の内側に正方形を描き、辺の数を２倍にして八角形を描き、さらに２倍して16辺の正多角形を、と繰り返し、多角形の面積がほぼ円の面積と等しくなる限界までつづけた。

一方、ヒオスのヒポクラテス（コス島出身の医者ヒポクラテスとは別人）は、直角二等辺三角形の３辺それぞれの上に半円を描き、ふたつの月（円と重なった範囲を除いた三日月形の領域）の面積を合計すると、もとの三角形の面積に等しくなることを明らかにした。あとは

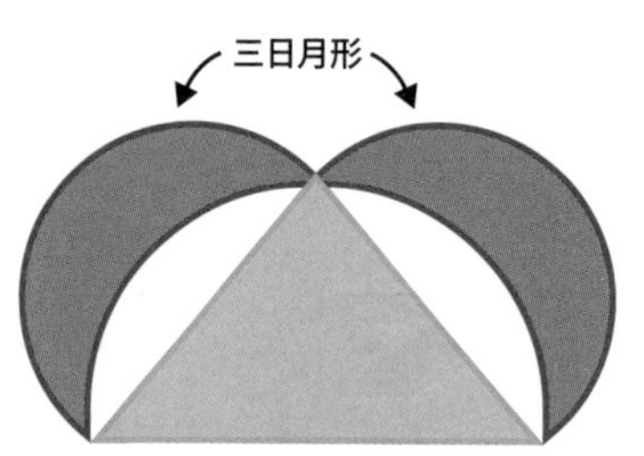

この三角形と等しい面積の正方形をつくればよい。しかし、ヒオスのヒポクラテスはその方法を見つけ出すことはできなかった。

ヒポクラテスの方式

これは不可能なのか？

何世紀にもわたって、多くの数学者たちがこの問題に挑んだが、結局解けなかった。「円を正方形にする」という言葉は、海の波を引き戻すのと同じように、不可能に挑むことを意味するようになったほどだ。

『不思議の国のアリス』の著者ルイス・キャロルは、ビクトリア朝時代の数学者チャールズ・ルトウィッジ・ドジソンのペンネームである。ドジソンは円をどうやって正方形にするかをめぐるでたらめな理論を好んで批判した。1855年の日記には、こんな題の本を書きたいと記している。『円正方形人のための平易な事実』。

円を正方形にするには、長さ$\sqrt{\pi}$の線分が必要だ。1837年には、整数、$\frac{3}{5}$などの有理数（整数のみを分母と分子に使った分数）、または一部の無理数の長さであれば線分を描けることが明らかになっている。無理数とは、有理数では表せない数だ。したがって、$\frac{3}{5}$は有理数、$\frac{1001}{799}$も有理数だが、2の平方根は無理数だ。1.4142135623731…と表すこともできるが、整数を別の整数で割った値では表せない。たとえば$\frac{1}{7}$（0.142857142857142857...）とはちがう。ただし、2の平方根は無理数ではあるが、代数方程式、すなわち係数が整数である方程式（たとえば$x^2=2$）の解として表すことはできる。このような性質を持つ数は代数的数と呼ばれる。任意の代数的数の長さの線分なら実際に描くことが可能だ。

超越数

不運なことに、πは無理数であるだけでなく超越数でもあった。超越数とは、代数方程式の解にはならない数のことだ。1882年、ドイツの数学者フェルディナント・フォン・リンデマンは、πが超越数であり、長さπ（またはその平方根）の線分は描けないことを証明した。ほぼすべての実数は超越数だが、特定の数が超越数であることを証明するのは非常に困難だ。現代の数学研究では、代数的または超越的で

あることがまだ証明されていない数がいくつかある。超越数であることを証明するには、代数方程式に対する答えではないことを示さなければならない。この定義からすると、数学が扱っている数はほんのわずかにすぎない。数学においてこの種の数を扱うのはたいへん困難なのだ。

数論におけるリンデマンの発見は、同時代人であるカール・ワイエルシュトラスの発見とあわせて、リンデマン=ワイエルシュトラスの定理と呼ばれる。この定理は、複雑な証明を用いて、特定の数が超越数であることを証明する方法を示す。この定理から、πとeがともに超越数であることがすぐ導かれる。このふたつは、もっとも一般に知られる超越数と言ってよいだろう。

πが超越数であることが証明され、長さπの線分は描けないことも証明された。19世紀の数論によって、何世紀も前からの古典的な幾何学の問題が解決したわけだ。最終的かつ決定的に、円を正方形にはできないことが証明されたのだ。

紀元前 **1500** 年

● **研究者**……………………………
古代エジプト人
● **結論**……………………………
偶然の発見によって、古代エジプトの数学についての深い洞察が得られた。

いかに分数は エジプトのものになったか？

リンドパピルスとエジプト数学

1858年、スコットランドの古書収集家アレクサンドル・リンドは、ルクソールの市場で古代エジプトのパピルスの巻物に出会った。おそらく違法に発掘されたもので、数年後にリンドが亡くなると、大英博物館に買い取られた。現在はリンドパピルスとして知られているこのパピルスは、3,550年前にアーメスという名の書記官が、さらに古代からの書物を書き写したもので、解読の結果、最初期の数学に関する書物のひとつであることが明らかになった。

この書物には、84の数学の問題と解答が書かれており、学校の教科書として使われたと考えられている。3冊に分かれ、最初の1冊はおなじみの分野である算術や代数を扱う。2冊目は幾何学で、最後がその他だ。驚くべきことに、このパピルスによれば、エジプトの記数法は、われわれにとってなじみ深い十進法であったらしい。

エジプト分数

なじみ深い点が多いとはいえ、分数の表し方はわれわれの方式とは大きく異なっている。そのため、エジプトの分数は、現代の数論でも関心を持たれる話題だ。エジプトの分数では、分子は常に1だ（ただし$\frac{2}{3}$は例外）。8分の5を分数で表したければ、エジプト人は$\frac{5}{8}$ではなく、$\frac{1}{2}+\frac{1}{8}$と表す。今日では、このように単位分数の合計として表した分数をエジプト分数と呼ぶ。

この方式には実用的な利点がある。次のような問題を考えてみよう。5枚のピザを8人に分けたいとする。現代の分数の表記法を使えば、1人あたり$\frac{5}{8}$枚だ。しかし、$\frac{5}{8}$枚のピザをいったいどのように切り分けるのだろうか？　悪夢だ。それではエジプト分数ならどうか。前に述べたとおり、エジプト分数は$\frac{5}{8}$を$\frac{1}{2}+\frac{1}{8}$と表す。答えはたちどころにわかる。4枚のピザを半分に切って配り、残ったピザを8分の1ずつに切り分けると、全員に$\frac{1}{2}+\frac{1}{8}$枚が行き渡る。あまりに単純で魔法のようだ。

しかし数論の研究者にとっては、これで終わりではない。エジプトの分数については、ほかにもとても興味深い特徴がある。まず、1より小さい値はどんな数でもエジプト分数で表せる。分数を無限のエジプト分数に分割することもできる。たとえば$\frac{3}{4}\fallingdotseq\frac{1}{2}+\frac{1}{8}+\frac{1}{12}+\frac{1}{48}+\frac{1}{72}+\frac{1}{144}$だ。

独創的な数学

リンドパピルスを掘り下げれば掘り下げるほど、エジプト数学の工夫に気づかされる。たとえばエジプトの掛け算では、2倍の計算が繰り返される。つまり、コンピューターの基本となる2進法にとてもよく似ているのだ。円の面積を求める方法も、アルキメデスの時代よりずっと前であるにもかかわらず、おおまかには確立していた。現在のπからわずか0.5%程度しかズレていない値を使って、実用に耐える結果を出していたのだ（前項を参照）。

古代エジプト人が数学の天才だったとは言えない。しかし彼らは習慣的な考え方にとらわれず、さまざまなアプローチを試すことができたおかげで、新たな洞察を生み出せたのだろう。

紀元前 **530** 年

証明とは何か？

ピタゴラスの定理

● **研究者**
ピタゴラス

● **結論**
数学に証明は欠かせないという考え方は、ピタゴラスと彼の有名な定理から生まれた。

すべての数学の定理の中で、ピタゴラスの定理はもっとも有名なもののひとつだ。子どもたちが暗記している数少ない定理でもある。「直角三角形では、斜辺の長さの2乗は他の2辺の長さの2乗の合計に等しい」。直角三角形において、斜辺は最長の辺であり、直角の反対側にある。英語で斜辺を意味するhypotenuseは、「伸ばす」を意味するギリシャ語に由来している。

ピタゴラスの定理を発見したのはピタゴラスではない。ただし、もしピタゴラスが実在したならばの話である（ピタゴラスが実在したとは限らない）。「ピタゴラス」は、共通の信念を持つ集団の呼び名だったかもしれないのだ。のちにピタゴラスの定理と呼ばれることになる数学的な知見は、ピタゴラスが歴史上に登場するより1,000年以上も前に得られていた。古代バビロニア人がすでに知っていたことを示す粘土板が残っている。古代エジプト人も知っていた。ピラミッドを見れば、直角三角形の知識が生かされていることがわかる。古代中国の人々も知っていたはずだ。そのことが紀元前600年ごろの書物である古代インドの『シュルバ・スートラ』に記録されているからだ。

証明のはじまり

実際にピタゴラスが成し遂げたのは、ピタゴラスの定理の証明だった。おそらくピタゴラスが世界で初めて証明したわけではない。しかし、その証明と同時に、定理に証明が必要であるという考え方を確立したのはピタゴラスである。その後、おそらくほかのどの数学的な発想についての証明よりもたくさんのピタゴラスの定理の証明が生み出された。証明はまさに数学の基礎となったのだ。フェルマーの最終定理がそうだったように、証明の探求が何世紀にもわたってつづくこともあり得る（165ページ参照）。

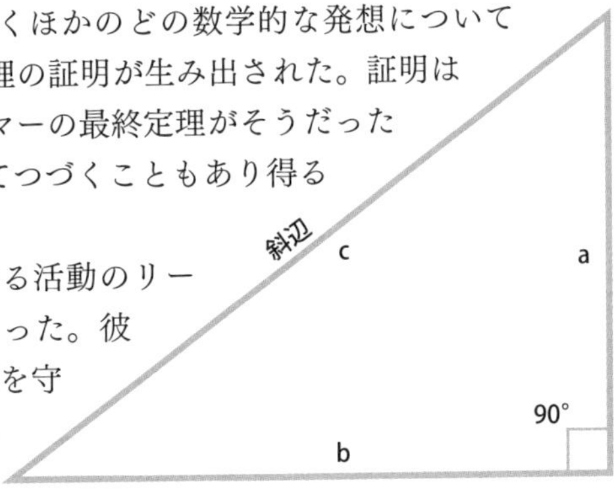

ピタゴラスは既存の社会秩序に反抗する活動のリーダーで、シチリアに共同生活の場をつくった。彼の信奉者たちは、いくつかの奇妙な規則を守らなければならなかった。白い羽に触れてはいけないし、日差しの中で「水を漏らす」ことも許されない。豆を食べることも禁じられていた。ピタゴラスは輪廻転生を信じ、自分が豆として転生するかもしれないと恐れていた。

ピタゴラスは、自然の中に常に数学的な美を見出そうとしていた。そのため音楽の中の音がどのようにできているのかに興味を持ち、ピッチの差に潜む数学的な関係を発見したのだ。たとえばハープの弦の張力が2倍になると2倍高い音が出る。ピタゴラスは、星や惑星が回転するとき、特定の音を出すと信じてもいた。

世界が持つ数学的なパターンを探る霊的な旅の途中で、ピタゴラスは正方形にたどり着いた。彼は石を規則的なパターンに配置して遊んでいた。小石を同じ数ずつ列に並べると正方形ができる。2個の小石には2列の小石、3個には3列。正方形に並んだ小石の数は、各辺の小石の数を「平方」した数だ。2×2は4、3×3は9という具合である。

図形で遊ぶ

ピタゴラスはこうして直角三角形についての証明に至ったのだろう。石で正方形をつくるのと同じように、図形で遊んだのだ。実際、ピタゴラスの証明は、他の証明と区別して、並べ替えの証明と呼ばれることがある。

証明は簡単だ。ある正方形に内接する正方形を描く。大きいほうの正方形の中には、4つの角ごとに4つの直角三角形ができることになる。また、小さいほうの正方形の各辺は、4つの三角形の斜辺になる。

直角三角形をふたつ1組にし、斜辺を合わせてくっつけるとふたつの長方形ができる。できあがったふたつの長方形を大きいほうの正方形の内側にうまく置くと、長方形ふたつとともに、ふたつの小さな正方形ができる。三角形の面積は変わらないから、最初の正方形の中の正方形の面積は、２番目の配置におけるふたつの小さな正方形の面積と等しくなければならない。別の言い方をすると、最初の正方形内正方形の１辺の長さは斜辺と等しく、２番目の配置でできる正方形は、他のふたつの辺をそれぞれ１辺とする。したがって、斜辺の正方形は他のふたつの辺の正方形と等しい。

ユークリッドによるピタゴラスの定理の証明

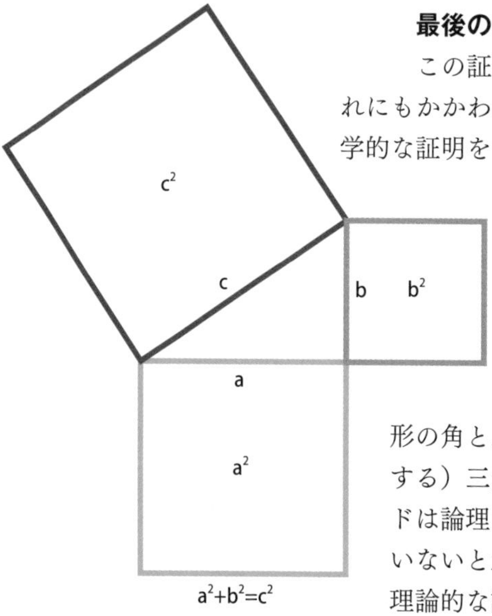

$a^2+b^2=c^2$

最後の衝撃

この証明は素晴らしく簡潔で、反論の余地がない。それにもかかわらず、ピタゴラスの後世の数学者たちはより数学的な証明を求めた。切った図形の単なる並べ替えではない証明だ。およそ紀元前300年ごろ、幾何学に関する偉大な著書『原論』で、ユークリッドはもっと洗練された証明を提示した。並べ替えでなく、理論的で、幾何学的な論理による証明である。ユークリッドは、直角三角形の各辺上に仮想の正方形を描いた。次に、正方形の角と三角形のあいだに想像上の合同の（完全に一致する）三角形をつくった。これらを使って、ユークリッドは論理の手順を一段ずつ踏んで、定理が正しいにちがいないと示すことができた。それ以降、ユークリッドの理論的な証明は、幾何学的証明の定型となった。

近年、あのアインシュタインも、ピタゴラスのような三角形の切り抜きを含むものの、並べ替えはしない独創的な証明を思いついた。一方、ほかの数学者たちは完璧に代数的な証明を考案した。

この定理は、無理数の発見ももたらした。無理数とは、整数の比として表すことができない数だ。斜辺以外の２辺が長さ１である直角二等辺三角形の斜辺の長さは、２の平方根となる。この発見は、すべての数は合理的であるべしとするピタゴラスの基本的な信念と矛盾した。伝説によれば、２の平方根が無理数であることを証明したヒッパソスは、その発見のために水に沈められたという。

純粋な数学の分野を超えて、直角三角形は山の勾配や屋根の傾斜を測定したり、２枚の壁を直角に接合したりするのに使われるようになった。この定理は単純だが、数学の公式の中でまちがいなくもっとも重要で、広く応用されている。

紀元前 **400** 年

無限の大きさとは？

●研究者……………………………
古代ギリシャ人
●結論……………………………
ギリシャ人は無限についてあまり深く考えなかったが、近年の数学者たちは、無限は想像よりはるかに複雑なことに気づきはじめた。

「とても大きい」と「とても小さい」の数学

無限という概念を理解するのはむずかしい。人間の寿命は有限で、具体的で有限の物体を扱うことに慣れている。永遠につづく何かにどうやって向き合えばよいのか？

古代ギリシャ人と無限

古代ギリシャで、無限の概念に取り組んだ数学者が何人かいる。そのひとり、ユークリッドは、素数が無限にあることを証明した。またアリストテレスは、時間がいつまでもつづき、終わりがないことに気づいた。

ギリシャ人は無限をアペイロンと呼んだ。これは「境界がない」、あるいは「終わりがない」ことを意味する。彼らは無限を好まず、（小さな）整数を扱うことを好んだ。

哲学者ゼノンは、紀元前５世紀ごろ、いくつかのパラドックスで無限という概念の不思議さを表現した。その中でもっとも有名なのは、「アキレスとカメ」だろう。ギリシャ神話の有名な戦士であるアキレスがカメと競走する。100メートルのレースで、アキレスがカメに50メートルのハンデをつけたとしよう。レースがはじまり、アキレスは弾丸のように飛び出す。５秒で50メートルを走り、カメのスタート地点まで来る。一方、カメもカメなりに全力疾走する。といってもよろよろ進んで１メートルの半分を進む。そのためアキレスの0.5メートル先にいる。

アキレスはこの0.5メートルを0.05秒で走りきるが、カメはまたよろよろ進み、５ミリ進んで、まだアキレスをリードしている。実際、アキレスがカメのいた地点に到達するたびに、カメは少し先を進んでいる。この追いつきレースは、距離を短くしながらも永遠に続く。アキレスは決してカメに追いつけない。

すべての無限は等しいか？

それから1,500年以上たって、イタリアの科学者ガリレオは無限の大きさを気にかけていた。大きさはすべて同じなのか、それともさまざまなのか？　たとえば、$1^2=1$、$2^2=4$、$3^2=9$のように、すべての整数について2乗の数がつくれる。ほとんどの整数は整数の2乗ではない（2、3、5、6、7など）。したがって、2乗の数よりも多くの整数があるのは明らかだ。無限個の整数と、それに対応する無限個の2乗の数がある。そうであるなら、前者の無限は後者の無限よりも大きくなければならない。しかし、すべての整数は2乗の数の平方根なので、すべての整数を2乗の数と組にできる。言い換えれば整数と2乗の数のあいだには1対1の対応があるわけで、ふたつの無限の個数は同じだ。これはガリレオのパラドックスとして知られている。

ガリレオは、「『等しい』『大きい』『小さい』という属性は、有限の量にのみ適用可能だ」と結論づけた。

異なる大きさの無限

ドイツの数学者ゲオルク・フェルディナンド・ルートヴィヒ・フィリップ・カントール（1845～1918年）はさらに進んで、さまざまな大きさの無限を定義した。

たとえば、1、2、3、4など、すべての整数（または自然数）の集合がある。また、2、4、6、8などすべての偶数の集合がある。偶数は、整数と1対1で対応させられる。2→1、4→2、6→3、8→4という具合だ。これは偶数を数えられることを意味する。さらに、偶数の無限は、奇数の無限およびすべての整数の無限と同じ大きさだ。

また、1.0、1.1、1.01、1.001、1.0001など、すべての実数の集合もある。カントールは、実数の集合は整数と1対1で対応させられず、したがって数えられないことを示した。実数の集合は整数の集合よりも大きいのだ。無限の集合にはいろいろな大きさがあると考えられる。1と2のあいだに無限の数の実数があるのは明らかで、整数の集合と実数の集合の大きさがちがうことは直感的にわかるが、カントールはそれを証明したのだ。

無限を利用する

無限を想像するのはむずかしく、その本質をつかむのはさらにむずかしいだろう。それでも、数学者たちは無限への対処の仕方を学ばなければならなかった。とはいえ、19世紀ドイツの数学者レオポルド・クロネッカーのように、無限のようなあいまいな概念を数学にとり入れる意味はないと主張する者もいた。

コッホ雪片

微積分では、無限小（無限につづく割り算）を扱う必要がある。たとえば、時間が止まったり、物体の運動が止まったりする点はない。時間も運動も、無限に分割できる連続体なのだ。このような対象を数学的に扱う唯一の方法は、極限を設定することだ。任意の点は、極限と極限のあいだにあると考えればよい。

フラクタル構造を拡大していくと、細かく同じ構造が繰り返されているのがわかる。この繰り返しは無限につづく。細部が単純でなめらかに見えるようになるのは解像度に限界があるからだ。

無限の概念はとてもむずかしいが、それゆえ数学的思考の最前線には、いつも無限がある。数学は証明可能か、あるいは証明不可能かという問題の焦点に、無限が関わっているのだ。クルト・ゲーデルの不完全性定理（142ページ参照）以降、数学に関する少なくとも一部は証明されることはないと考えざるを得なくなった。われわれはそんな世界に生きているわけだ。

ドイツの数学者ダフィット・ヒルベルトは、1924年に有名な「グランドホテルのパラドックス」を考案した。ヒルベルトのホテルには無限の数の部屋があり、すべて完全に埋まっている。ヒルベルトは独創的な方法で、さらに無限に多くの客が来ても、その客のための部屋が常にあることを示した。感覚的には納得がいかないだろう。すでにホテルは満室なのに、どうやって空き部屋をみつけるのか？　しかし、これは無限についてのパラドックスなのだ。ヒルベルトの証明は、水も漏らさぬ完璧なものだ。まちがっているのは常識のほうかもしれない……。

第2章 問題と解法

紀元前399年〜紀元628年

古代ギリシャ人たちは、純粋数学の考え方を大いに楽しんだ。とりわけ直定規とコンパスを使用して作図する幾何学を好んだ。しかし、徐々に彼らは特定の問題に関心を向けはじめ、それまでに蓄積してきた数学的洞察によって問題を解こうとした。

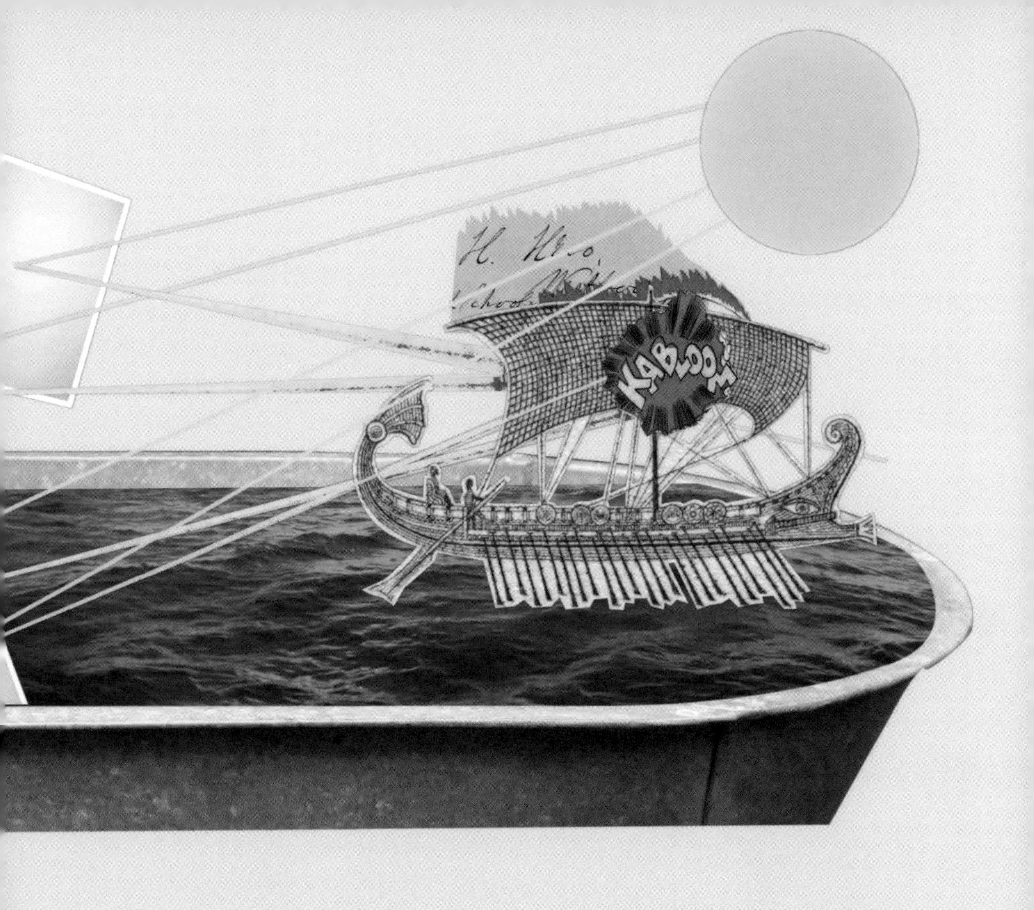

これらギリシャ人の中でもっとも尊敬されているのはアルキメデスだ。彼は数学のもっとも純粋な分野から、もっとも実用的な物理学や工学といった分野で、常識を超える幅広い才能を発揮した。アルキメデスにつづき、幾人もが、数学を通して世界の理解を広げ、さらに数学を駆使して利益を得る方法もつくっていった。

紀元前 **300** 年

- **研究者**
  ユークリッド
- **結論**
  ユークリッドがまとめた数学的命題と証明は、極めて論理的だったため、幾何学の教科書として、以降2,000年間使用されることになった。

論理を求めたのは誰か？

ユークリッド『原論』

約2,300年前に書かれた、ユークリッドの著書『原論』は、聖書についで西欧世界でもっとも広く読まれた本だと言われる。『原論』は数学の本にすぎない。しかしなんと偉大な本だろうか！

原初の本

『原論』は基本的には幾何学、つまり図形に関する数学の教科書である。といっても幾何学について記された初めての本というわけではない。しかし『原論』にはすべてが揃っていて、方法論において徹底的だったので、登場してまもなく幾何学の基本的な枠組みを確立し、現在に至っている。線、点、図形および立体を扱う幾何学は、今でもユークリッド幾何学と呼ばれるほどだ。三角形、正方形、円、平行線などに関する基本的な規則はすべてユークリッドの本に記されている。

しかし『原論』を単なる教科書ととらえるのは誤りだろう。『原論』は世界について深遠な、新しい考え方を提示したからだ。ユークリッドが築いた体系では、世界の仕組みは単なる神の気まぐれではなく、自然法則に従う。ユークリッドにとっての自然法則とは、論理と演繹的推論、証拠と証明を通して真実に到達する方法のことだ。理論と証明は今日のすべての科学の基礎でもある。

ユークリッドは独力でその偉業を成し遂げたわけではない。彼は、ミレトスのタレスにまでさかのぼる、ギリシャの思想家たちの数世紀にわたる知的努力を集大成し、粘り強い力と精度でまとめあげたのだ。

ユークリッドの人物像についてはあまり知られていない。実際はピタゴラスのように、一人の人間ではなく、アレクサンドリアを拠点とする数学教師の集団だったのかもしれない。アレクサンドリアは、アレキサンダー大王によって新しく設立されたエジプトの地中海沿岸の大都市だ。エジプトを治めた最初のギリシャ系の王であったプトレマイオスの図書館を中心とした、知の拠点だった。

実用的な数学と永遠の真実

ユークリッドの時代までに、幾何学は高度に発達し、実用的な技術として利用されていた。人々は長いあいだ、土地の面積を測り、完璧なピラミッドを構築するために幾何学を使ってきたのだ。しかし、ユークリッドと彼の仲間の古代ギリシャ人たちは、この実践的な技術を純粋に理論的な体系に発展させ、「応用数学」を「純粋数学」に変えた。

それはただの学問的訓練ではなかった。ギリシャ方式は、ものごとの根底にある真実を見つけるための道具として強力だったからだ。ある三角形について真であることは、まったく異なる三角形についても真なのだ。ミレトスのタレスがエジプトを訪れたとき、タレスは三角形の相似条件を使って、ピラミッドの高さと海上での船の距離の両方を測ってみせ、エジプト人を驚かせた。

ユークリッドたちは、その方式を完全な論理体系につくり替え、数学のもつ無限の力を解放した。その力は、証明と、法則が厳密な仮定あるいは前提条件のもとに成立するという考え方から生まれる。仮定とは、たとえば「直線は2点間の最短距離を与える」というようなことだ。仮定を組み合わせると、定理が導かれる。定理は証明されるか、反証されなければならない。

ユークリッド『原論』の核心は、5つの重要な公準だ。

ユークリッドの5番目の公準

1. 任意の1点から、ほかの1点に対して直線を引ける
2. そのような直線は、どちらの方向にもつづけて延長できる
3. 円は任意の半径と中心点において描ける
4. すべての直角は互いに等しい
5. 1本の直線が2本の直線と交わるとき、同じ側の内角の和が2直角より小さい場合、その2直線を限りなく延長するとどこかで交わる

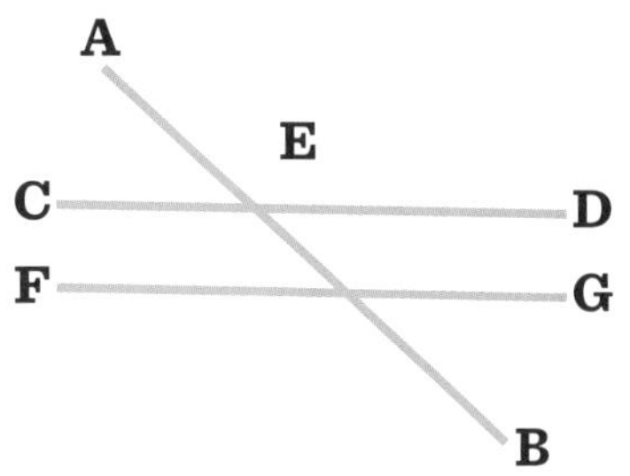

最初の4つは、今日では自明に見えるが、当時はちがった。基礎となる根本的な規則を定めるのは、絶対の前提だった。議論の余地のない定義が基礎にあってはじめて、単なる勘を確固たる証明に変え、各段階を論理的に進めることができるのだ。

5番目の公準問題

5番目の公準はそれほど自明ではない。この公準は平行線公準と呼ばれることもある。「直線が2本の直線と交わるとき、同じ側の内角の合計が2直角になる場合、交差する2本の線は平行になる」とも表せるからだ。この公準は、すべての基本的な幾何学構造の中心にあり、実用的な用途がたくさんある。たとえば平行な線路を作るのに、この公準は不可欠だ。

しかし、ユークリッドはこの平行線公準に疑念を抱いていた。ユークリッド幾何学は、平面、2次元の図形、平面の表面をもつ3次元の図形、そしてほとんどの日常的な場面で役に立つ。しかし、地球の表面や宇宙のように湾曲している場合には話がちがってくる。宇宙には時間を含めると3以上の次元があるからだ。

ユークリッドの平行線公準に従えば、ある直線に対して、任意の1点を通る平行な直線は1本しか引けない。しかし、空間が湾曲して、多次元の場合、ほかにもたくさんの平行線を引くことができてしまう。これが、19世紀のヤーノシュ・ボヤイやベルンハルト・リーマンなどの数学者が双曲幾何学を考え出した背景にある。

また、ユークリッド幾何学によれば、三角形の内角の合計は常に180度になる。ただしその三角形が球の上に描かれていれば、内角の合計は180度以上になる。過去2世紀にわたって、数学者たちは、湾曲した多次元空間に関する新しい幾何学を発展させ、ユークリッドを超えようとしてきた。これらの新しい幾何学は、アインシュタインが一般相対性理論を構築する上で不可欠だった。とはいえ、このような状況にあっても、ユークリッドが成し遂げた功績は、今日のすべての日常の幾何学の中心でありつづけている。

紀元前 **300** 年

素数はいくつあるか？

- ●研究者……………………………
  ユークリッド
- ●結論……………………………
  素数は無限にある。

ユークリッドの背理法による証明

ほとんどの人にとって、数は単に「ものがいくつあるか」を示す道具にすぎない。しかし、多くの数学者は、数それ自体に魅力を感じている。数を研究する分野である数論は、純粋で、抽象度が高いことから、数学の女王といわれる。そんな数論の中でも「素数」は特別な存在だ。数論学者にとって素数は、ネコにとってのマタタビのようなものだ。約2,300年前、ユークリッドが『原論』に取り上げて以来ずっと素数は、数論学者を魅了しつづけている。

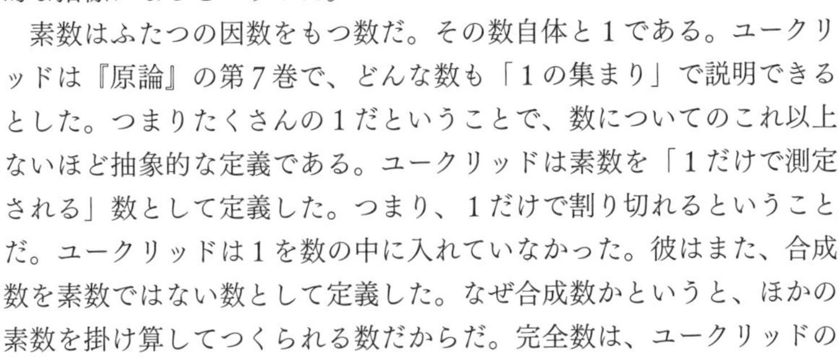

宇宙を解く数学の鍵

数学者のだれもが、数の聖杯である素数を完全に理解したいと願っている。素数は、数の「原子」にたとえられることが多い。数の世界すべてを構築する基本的な粒子なのだ。アメリカの天文学者カール・セーガンは、1985年に発表した小説『コンタクト』で、素数がほかの知的生命と交流する最適な道具だと述べた。素数に関する知識の深さが、知的生命であることを示す普遍的な指標になるというのだ。

素数はふたつの因数をもつ数だ。その数自体と1である。ユークリッドは『原論』の第7巻で、どんな数も「1の集まり」で説明できるとした。つまりたくさんの1だということで、数についてのこれ以上ないほど抽象的な定義である。ユークリッドは素数を「1だけで測定される」数として定義した。つまり、1だけで割り切れるということだ。ユークリッドは1を数の中に入れていなかった。彼はまた、合成数を素数ではない数として定義した。なぜ合成数かというと、ほかの素数を掛け算してつくられる数だからだ。完全数は、ユークリッドの定義によると、その数の約数の和と等しい数である。

ユークリッドは合成数と完全数の両方について興味深い考察を残しているが、本当に革命的だったのは素数に関する証明だ。ユークリッドは、素数がいくつあるのか知りたかった。素数の個数に限界はないというユークリッドの洗練された証明は、『原論』第9巻の命題20として挙げられている。この命題20は数論の誕生を告げるものだ。ピタゴラスやほかのギリシャの数学者も素数に関心を持っていたが、命題20が画期的だったのは、証明という手法を用いたことで、数論研究の土台を築いたのだ。

ユークリッドの証明

ユークリッドの証明は、今日「背理法」と呼ばれるものだ。つまり、証明したいことの逆の条件を仮定し、それが実際には不可能であることを一連の論理的な段階を踏んで示すのだ。

ユークリッドが証明したかった命題は、素数が有限の数よりも多いこと、つまり素数の個数が無限であることだった。言い換えれば、ユークリッドは素数の個数が有限ではないことを示したかったといえる。そこで彼は背理法で、素数の個数が有限であると仮定することからはじめ、それがあり得ないことを示す作業に着手した。ユークリッドの反証は、すべての自然数が素数の積であるという仮定にかかっていた。『原論』のギリシャ語の原書を読み解くのは困難だが、要点は次の通りだ。もし素数の個数が有限なら、すべてを網羅したリストがつくれるはずだ。P_1、P_2、P_3……最大の素数であるP_nまで。さてここで、リストにあるすべての数を掛け算して1を足すとどうなるだろうか。実際に計算する必要はなく、論理に従うだけだ。

答えの数は、リストの最大の素数よりも大きいため、素数ではない。つまり合成数でなければならない。しかし、合成数は素数の積だ。したがって、素数で割り切れるはずである。しかしこの割り算は、必ず最後に足した1が余ってしまう。したがって、すべての素数が載ったリストをつくることはできない。完全であるはずのリストには載っていない素数が必ずあるのだ。

最大の素数が存在すると仮定しても、それより大きな素数が存在してしまう。この議論の巧妙さは息をのむほどである。多くの数学者は

この結果に励まされ、論理的な証明法がほかにないかと、数の森を探索しはじめた。

無限に対する無限の探索

実際、数学者たちは、素数が無限にあることを証明するほかの方法に挑んでいる。18世紀にはレオンハルト・オイラーが算術証明を、1950年代にはハンガリーの数学者ポール・エルデシュが別の算術証明を、そしてイスラエルの数学者ヒレル・ファステンバーグが集合論に基づいた証明を考え出した。21世紀に入ってからも、アレクサンダー・シェンの2016年の情報理論に基づくアイデアなど、半ダース以上の新しい証明が提示されている。

素数が無限にあることは証明された。しかし数学者たちは、より大きな素数を見つけようと、文字どおり無限の探求をつづけている。偉大なるギリシャのユークリッドの試みのすぐ後だったが、エラトステネスは素数を選び出す巧妙な数学的なふるいを考案している。

数が大きくなるにつれて、素数の出現する頻度は減っていく。いまだ狩りはつづいているが、すべてはユークリッドからはじまったのだ。

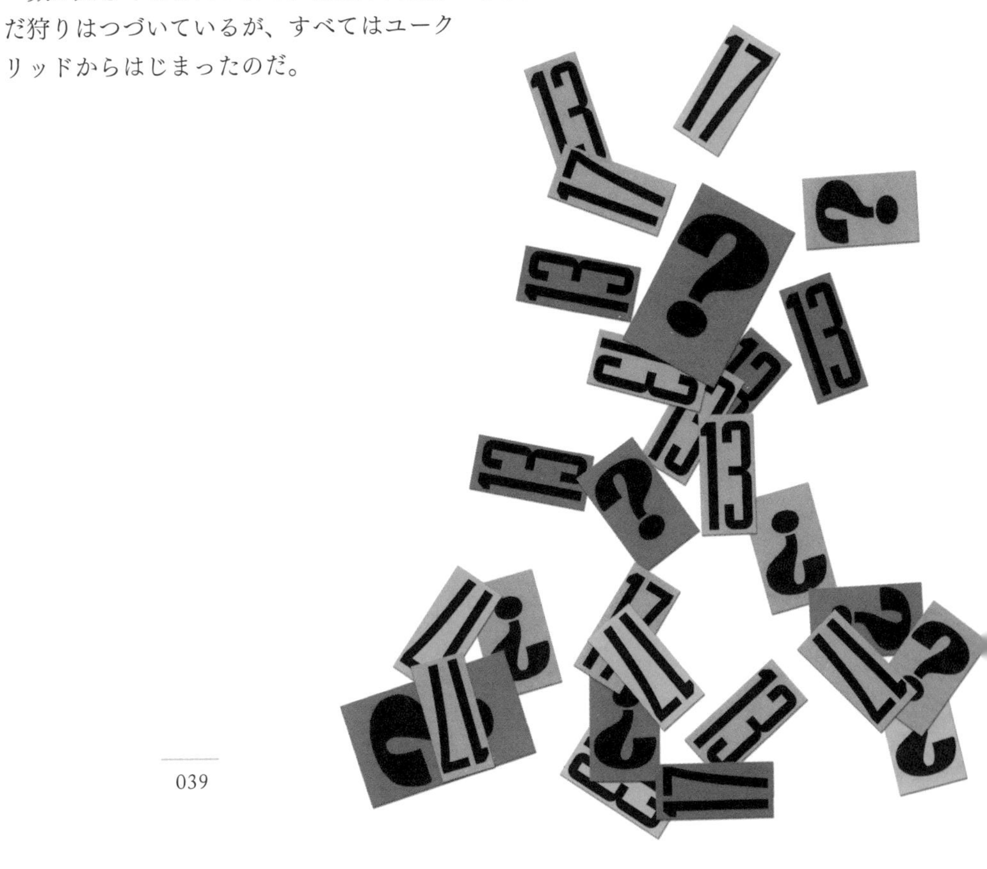

紀元前 **250** 年

●**研究者**……………………………
アルキメデス

●**結論**………………………………
アルキメデスは、πの近似値を求める独創的な方法を考えた。

πとは何か？

πの極限を求める

幾何学者にとって、円は厄介な代物だ。図形の辺が真っ直ぐなら、周の長さや面積の計算は簡単だ。長方形の面積を知りたければ、高さに幅を掛けるだけですむ。正三角形の面積なら、底辺の半分に高さを掛ければいい。しかし円となると話は別だ。円の場合、あらゆる数の中でもっともいらだたしい数のひとつを持ち込まなければならない。それがπだ。

πの問題

πは、円の直径に対する円周の比率だ。簡単に思えるが、実際にはかなりとらえどころがない。数学の歴史上もっとも優れた頭脳をもってしても、あるいは現代の大規模コンピューターを使っても、πの正確な値は突きとめられていない。

幸い、ほとんどの実用的な場面では近似値を使えば十分こと足りる。古代から、πが3を少し超える値であることは知られていた。言い換えれば、円の円周はその直径の3倍を少し超える長さだ。約4,000年前のバビロンの粘土板には、古代バビロニア人がπを$\frac{25}{8}$（3.125）だと考えていたことが示されている。現代の概算値である3.142に近い値だ。一方、同時期の古代エジプトのリンドパピルスには、πの値が$\frac{16}{9}$の2乗、つまり$\frac{256}{81}$すなわち3.16…だと記されている。

古代世界の天才

紀元前約250年ごろ、古代世界の偉大な天才アルキメデスは、円周率の正確な値を割り出そうと試みた。アルキメデスは当時すでに伝説的な存在で、驚くべき発明と科学分野での研究成果で知られていた。その成果の中でも、小さな棒を一度押すだけで、4,000トンの船シラクーサを岸に引き上げたエピソードは特に有名だ。それはアルキメデス独自の滑車駆動装置で、片手で動かすことができた。アルキメデスの滑車は簡素なポンプ装置だったが、現在でも灌漑や下水のような、濃厚で、汚れた液体の圧送に使用されている。そしてもちろん、浮力の法則の発見もアルキメデスによるものだ。「エウレカ（見つけたぞ）！」という有名な叫び声とともに語られる伝説である。

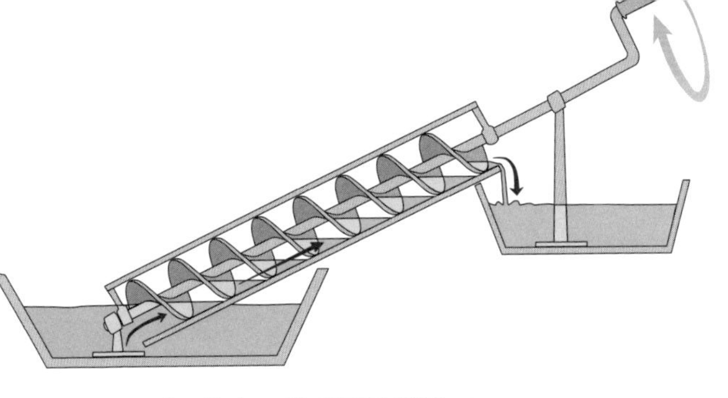

アルキメデスの滑車

アルキメデスはすぐれた数学者でもあり、πの計算は彼のもっとも重要な業績のひとつだ。なぜ重要かというと、アルキメデスはπを実測したわけではなかったからだ。彼は理論的にπの値を求めようとした。彼の発想は、哲学者アンティポンが紀元前480年ごろに発明し、その1世紀後にギリシャの偉大な数学者エウドクサスが発展させた「取り尽くし法」を使うというものだった。取り尽くし法とは、面積を求めづらい図形の面積を、面積がわかっている多角形で徐々に埋めることで求める方法だ。大きな多角形からはじめ、より小さな多角形で、図形の内側の空間を取り尽くすまでつづける。この方法では近似値しか求められないが、多角形が小さくなればなるほど正確な値に近づいていく。この方法は、微積分の先駆けとなった。

円を正多角形にする

アルキメデスがπの計算に使ったのは、以下のような方法だ。アルキメデスが残したメモを読み解くのは困難だが、その要点を示そう。最初にコンパスで円を描き、同じ半径を保ったまま、円周に沿って6つの点を等間隔に打つ。そしてとなり合う点を線分で結び、円に内接する正六角形をつくる。正六角形の向かいの角どうしを線で結ぶと、6つの正三角形ができる。この正三角形の一辺の長さは円の半径と同じだ。

つまり正六角形の周の長さは円の半径の6倍、または直径の3倍に

なる。πの近似値である3に少し近づいた。しかし、円は正六角形の外側で丸く曲がっているので、πの実際の値はもっと大きいはずだ。そこでアルキメデスは、正六角形の外縁に、背の低い小さな二等辺三角形を描き、12の辺を持つ正十二角形をつくった。まだ隙間があったので、つづけて24辺、48辺、96辺の図形を描いた。正九十六角形の見た目は円とほとんど区別がつかず、その周の長さは3と$\frac{10}{71}$すなわち$\frac{223}{71}$になった（3.140845…）。

しかし、この後をつづけたのがアルキメデスの天才たるゆえんだ。彼は円の外側にも正六角形を描き、正九十六角形になるまで辺の数を2倍にしつづけた。これにより、3と$\frac{10}{70}$すなわち$\frac{220}{70}$（3.142857…）の数値が得られた。円周の長さはそのあいだなので、アルキメデスはπの値がこの内側の図形と外側の図形のあいだにあることを確信した。これにより、3.141851という値が得られた。これは、約3.14159というπの今日の値に非常に近い。もちろん、アルキメデスは小数を使えなかったため、人々はアルキメデスが得た外接図形の値である$\frac{22}{7}$を採用したが、これは今日でも実用に耐える近似値だ。

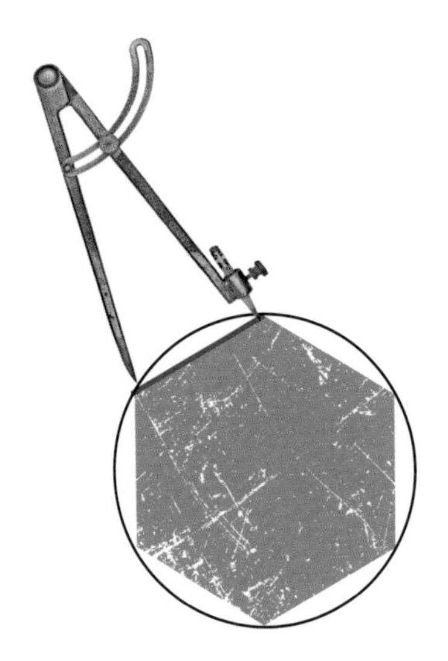

アルキメデスの時代以来、πの値はより正確に計算され、高速コンピューターでπの値は小数点以下何兆桁も求められている。しかし計算に終点はなく、最終的にこれがπの値だといえる決定的な数もない。それはπが無理数だからだ（21ページを参照）。得られるのは近似値だけで、アルキメデスが出した$\frac{22}{7}$は、われわれのほとんどにとって十分な値なのだ。

地球はどれくらい大きいか？

紀元前 **240** 年

●研究者
エラトステネス

●結論
エラトステネスは巧妙な数学的手法を使い、地球の円周を46,250キロメートルと計算した。

太陽、影、そしてギリシャ幾何学

紀元前332年、アレクサンドロス大王はエジプトのナイル川河口に、ギリシャ都市アレクサンドリアをつくった。アレクサンドリアはギリシャ世界の学問の中心地となり、壮大な図書館が建設された。羊皮紙や、より高級な羊皮紙からなる巻物を数十万も蔵する図書館だ。紀元前240年前後に、新たな司書が赴任した。素数を見つける方法を考案した（37ページ参照）、キュレネの数学者エラトステネスだ。司書として、エラトステネスは精力的に働いた。偉大な文学作品を借り出して書き写し、（プトレマイオスの命令で）原本を手元において書き写した方を返却した。

エラトステネスは、紀元前276年ごろの生まれで、アルキメデスと同時代の人だった。彼らは地中海の両端に離れて住んでいたにもかかわらず、深い親交があった。アルキメデスはエラトステネスに牛と雄牛に関する複雑な問題を説明する詩を送っている。おそらくアレクサンドリアにいたエラトステネスを訪ねたこともあると思われる。

地理学の父

エラトステネスは万能の人だったが、批評家は彼を「ベータ」と呼ぶこともあった。何においても二番手だというのだ。一方、エラトステネスの友人たちは「ペンタアスロス」と呼んだ。ペンタスリート、つまり五種競技の総合チャンピオンだ。エラトステネスは数学者だっただけでなく、詩人、天文学者であり、地理学の発明者でもあった。

彼は地理学に関する３巻本を執筆し、その中で北極、南極、そのあいだに熱帯、温帯をふくむ全世界の地図を描いた。彼の地図には400の都市の位置が記されていた。
　古代ギリシャ人は、地球が丸いことを知っていた。ふたつの確固とした証拠があったのだ。第一に、船が海岸から出航すると、船は徐々に下から消えていく。明らかに、船は単に小さくなって見えなくなるのではなく、水平線を越えて見えなくなるわけで、そうであれば地球は丸くなければならない。第二に、古代ギリシャ人は月食が地球の影によって引き起こされ、この影が曲線であることを知っていたからだ。

地球を測る

　地球が球体であることを知っていたエラトステネスは、その直径を測定しようとした。

　アレクサンドリアから南へ925キロメートル、現在のスーダンとの国境近くに、シエネ（現在のアスワン）の街がある。この街を流れるナイル川の中洲にあるエレファンティネ島には井戸があった。夏至の日の正午、この井戸をのぞき込むと、太陽光の反射を見ることができる（ただし自分の頭の影で遮られないように注意しなければならない）。その時点で、太陽が頭の真上にあるからこそ起こる現象だった。その井戸は現在も存在するが、残念ながら水が涸れてしまい、がれきの山になっている。
　アレクサンドリアに戻ったエラトステネスは、地面に垂直にグノモン（棒）を刺し、夏至の日の正午に太陽の角度を測定した。棒と影がつくる角度を測定したのだ。その角度は7.2度だった。これは、右ページの図の角Aにあたる。
　この角Aは、角A*と等しい。これらふたつの角が、平行線間に引かれた直線の同じ側にあるからだ。角A*は地球の中心にあり、アレクサンドリアとシエネから引いた直線がつくる角だ。

エラトステネスは簡単な計算を行った。

アレクサンドリアとシエネ間の角度＝7.2度

アレクサンドリアからシエネまでの距離＝925キロメートル

アレクサンドリアからアレクサンドリアまで一回りする角の角度

＝360度＝50×7.2度

つまり、地球一周の距離＝50×925＝46,250キロメートル。アレクサンドリアからシエネまでの距離は、公式のベマティストイ（同じ歩幅で歩けるよう訓練し、歩数を数える測定員）によって測定されたもので、エラトステネスはキロメートルではなくスタッドという単位で答えを出した。1スタッドの長さは正確にはわからないが、われわれが知る限り、エラトステネスの地球の周の推定値は、今日の正確な値である40,000キロメートルに近いものだった。

地球の周の長さを測る

エラトステネスはシエネが北回帰線上にあり、アレクサンドリアの真南で、地球は完全な球体だと仮定して計算した。これらの仮定はどれも正確ではない。それでも、2012年により正確なデータを使って実験が再現されたとき、その結果は40,096キロメートルだった。

エラトステネスは地球の軸の傾き（約23度）の計算にも取り組み、うるう日を発明した（現在の2月29日）。地球が太陽、月、その他の天体の軌道に囲まれた模型であるアーミラリ天球儀をつくりあげ、また（あまり正確ではないものの）太陽までの距離とその直径を計算した。悲しいことに、エラトステネスが貢献した多くの学問分野での発見のほとんどは、紀元前48年のアレクサンドリア大図書館の火事によって失われてしまった。

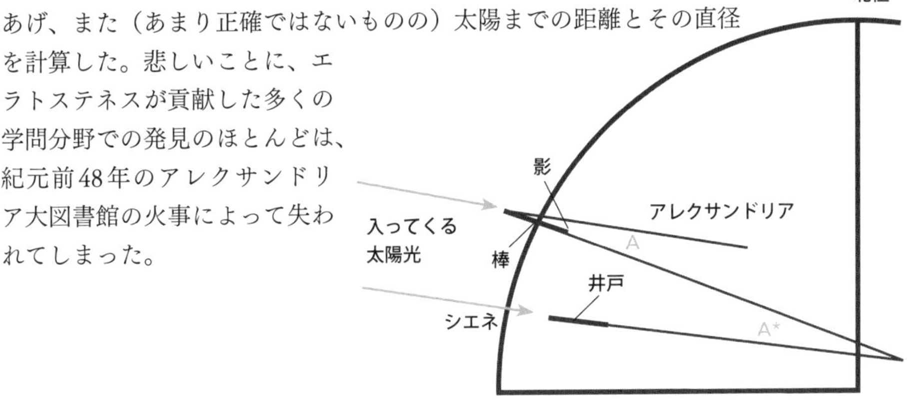

250 年

● 研究者……………………………
アレクサンドリアのディオファントス
● 結論……………………………
ディオファントスは、数を表すためにxなどの記号を使用した、最初の人物かもしれない。

代数の父は何歳か？

計算に文字を使う

アレクサンドリアのディオファントスに関しては不明な点が多い。彼の生没年はわからないが、紀元200年代前半に生まれ、250年前後に活動していたと推測されている。

ディオファントスは「代数の父」と呼ばれる。方程式を解くために、数を記号で表しはじめた最初の人だと考えられるからだ。彼は可能な限り整数だけを扱おうとしたが、単純な分数も数であることを認めざるをえなかった。

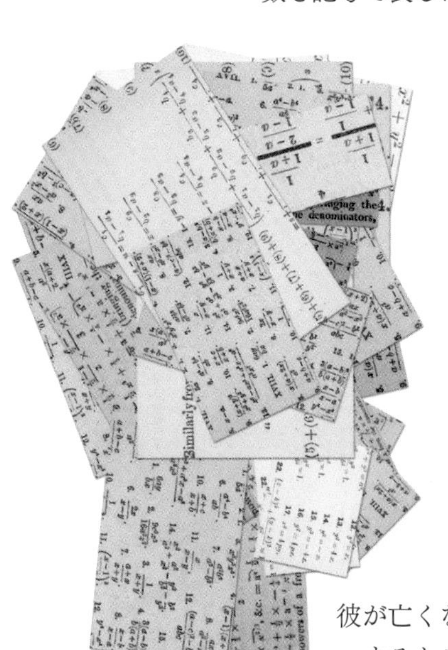

ディオファントスは何歳？

紀元500年ごろのギリシャ語のアンソロジーに、ディオファントスが亡くなったときの年齢に関するパズルが載っている。「ディオファントスの少年時代は彼の人生の$\frac{1}{6}$だった。彼のひげはさらに人生の$\frac{1}{12}$がすぎてから伸びはじめた。彼はさらに人生の$\frac{1}{7}$のちに結婚し、彼の息子はその5年後に生まれた。息子は父親の年齢の半分まで生き、父親は息子の4年後に亡くなった」。

この問題を解くには、ディオファントスによる代数、すなわちディオファントス方程式を使えばよい。

彼が亡くなったときの年齢をxとおく。

するとこの問題は$x=\frac{x}{6}+\frac{x}{12}+\frac{x}{7}+5+\frac{x}{2}+4$と表せる。

これを解くと、$9x=756$、したがって$x=84$となる。

ほかの方法で解くこともできる。ディオファントスが整数のみを使おうとしたことに注意しよう。つまり、彼の年齢は12と7で割り切れたはずだ。$12\times7=84$が解だと仮定して、問題の残りの部分にあてはめてみる。すべてうまくいくはずだ。

『算術』

ディオファントスは13巻の著書『算術』を書いたが、現存するのはそのうち6冊だけだ。130の問題が解説され、数値解も記されている。

『算術』は代数に関する最初の本格的な書物で、ギリシャの数学だけでなく、アラブやその後の西洋の数学にも大きな影響を及ぼした。ディオファントスは未知の量だけでなく、「等号」にも記号を使用した（ただし現代の「=」記号ではない。「=」を最初に使ったのはイギリスの数学者ロバート・レコードだ）。

ディオファントスの方程式はほとんど2次方程式で、x^2 とxが何らかの形で含まれている。そのような方程式にはふたつの解がある。たとえば、方程式

$x^2 + 2x = 3$

は以下のように解ける。

$x = 1$ または $x = -3$

しかしディオファントスは複数の解に悩まされることはなく、負の数または無理数の解を無意味か不条理だと考え、無視していたと思われる。数を、要素の個数を表すのに使う基数と考えるなら、これは論理的だ。–3個のリンゴなどありえないからだ。さらに、ディオファントスにはゼロという概念もなかった。

こうした欠点は大したことではない。ディオファントスはまさに代数の創設者で、同時に数論を大きく発展させた人物だ。そして時代を経て、フランスのある数学者が『算術』に謎めいたメモを書き込み、非常に有名になった。

フェルマーの最終定理

ディオファントスの死後数世紀たって、『算術』は数学界で最も有名な定理のひとつに多大な影響を与えた。1607年に生まれたピエール・ド・フェルマーは、トゥールーズ議会に勤めたフランス人弁護士である。彼は才能あるアマチュア数学者だった。フェルマーは数学の分野でいくつもの重要な成果を上げ、彼の予測のかなりの部分は後に正しかったことが証明された。

『算術』において、ディオファントスはピタゴラスの定理を取りあげた（26ページを参照）。ピタゴラスの定理には以下の方程式が含まれる。

$x^2 + y^2 = z^2$

この方程式を満たす整数解は無限にある。ところで、フェルマーは『算術』の本の余白に（ラテン語で）走り書きをした。

> 立方数をふたつの立方数の合計として書くこと、または4乗数をふたつの4乗数の合計として書くこと、または一般的に、冪が2を超える冪乗数を、

ふたつの同じ冪の冪乗数の和として書くことはできない。

言い換えると、フェルマーはピタゴラスの方程式を以下のように拡張した。

$x^n + y^n = z^n$

nが2より大きいとき、x、y、zの整数解は存在しないというのだ。つづけて彼は「この命題の本当に素晴らしい証明があるが、この空白は狭すぎて書き切れない」と記した。

フェルマーは1637年ごろにこの走り書きを残したが、公表せず、誰にも話さなかった。フェルマーには、このような主張を証明なしに行う習慣があったが、その主張はいつも正しかった。フェルマーは1665年に亡くなり、1670年にフェルマーの息子が遺稿集を出版した。その後、世界中の数学者たちがこのたった一つの問題に熱中し、証明を探求しはじめた。このちょっとした、いらだたしいパズルは、フェルマーの最終定理として知られるようになった。

解法には数千ポンド相当の賞金がかけられ、何千もの誤った証明が提出された。それでも数学者たちは必死に探求をつづけ、ようやく1994年にイギリスの数学者アンドリュー・ワイルズが、30年にわたる苦闘ののち、長く複雑な解決を見出した（165ページを参照）。

ワイルズの解法は、当時のフェルマーが知り得なかったであろう、高度な現代数学を使っている。そのためフェルマーが本当に素晴らしい解答を知っていたのかは、謎のままである。

無とは何か？

628年

●研究者
ブラフマグプタ
●結論
初期の数学者たちはゼロを数とはみなさなかった。ただ、位取りで数を表す記数法の中で、空白を埋める記号として用いた。

ゼロの価値

「ゼロ」は、アラビア語で「空白」を意味する「シフル（sifr）」に由来している。フィボナッチはヨーロッパに10進法を紹介し、シフルをゼフィラムと訳した。ゼフィラムはイタリア語でゼフィーロになり、ヴェネツィアではゼロに短縮された。

現在、数を表す方法には位取り法が使われている。321という数字の並びは100が3つ、10がふたつ、そして1がひとつあることを意味する。つまり三百二十一だ。各数字の値は、数字が置かれる位置によって異なる。紀元500年、サンスクリットで書かれた天文学書『アーリヤバティーヤ』では、位取り法が次のように説明されている。「場所がひとつ移ると、前の10倍になる」。

ゼロは数か？

ゼロは特別だ。あるときは数になる。たとえば「ボウルにリンゴはいくつありますか？」という問いに「ゼロ（またはなし）」と答えるときだ。またあるときにはケタの空白を埋める。数字の203で、ゼロは10の位に数がないことを表している。ゼロがなければ、23と表される。空白の10のケタをゼロが埋めるのだ。

何千年ものあいだ、人々はゼロを必要としなかった。ものの個数、人数、日数を数えるのに必要がなかったからだ。ナッツが3個あり、その3個を取ったら、何も残らない。0を表す記号は必要なかった。また、行列の1番目、または月の第2木曜日など、ものに順番をつける序数にもゼロは必要ない。

古代ギリシャ人はゼロをもたなかった。彼らが気にしていたのは、無が数か否かだ。無がなにかになりうるか？　彼らは数を表すのにアルファベットの文字を使っていたが、紀元130年までには、プトレマイオスによる天文学書『アルマゲスト』で、ō のような記号をゼロとして使用していた。

位取り記数法はいくつかの文明で発達したが、バビロニアとエジプトではゼロに記号をあてていた。ある文明ではただの空白だったが、手書きの数がしばしば混乱を引き起こした。2　3は、203、2,003、または20,003のどれかという問題だ。また中米メソアメリカのオルメカ文明では、長期暦といわれる暦の中で、ケタの空白を埋めるのに記号が使われていた。

ローマ数字はものを数えるには申し分ない。実際、もともとはその数だけ線を引いて数を表す画線法の数字だったのだ。しかし、ローマ数字は計算には絶望的に不向きだ。数学的な操作には位取り法と、できればゼロもほしい。

ゼロの発明

伝説によると、ゼロが記された記録を最初に調査したのは、598年生まれでのちに天文台長となった、ブラフマグプタという名の若いインドの数学者だった。628年の著書『ブラーマ・スプタ・シッダーンタ（ブラフマーの進歩した論文）』で、彼は惑星の運動と軌道の計算について、数のケタの空白を埋めるのにゼロを使い、サンスクリット語の詩に表した。さらにブラフマグプタは、数としてゼロを使用する方法を示した。

誰にでもわかるように、ブラフマグプタはゼロを「ある数からその数自体を引いた結果」と定義した。次に、算術の演算でゼロという値を使うための、最初の正確な規則を示した。

> ふたつの正の数の合計は正であり、ふたつの負の数の合計は負である。正の数と負の数の合計は、それらの差になる。それらが等しいとき、答えはゼロである。負の数とゼロの合計は負、正の数とゼロの合計は正、ふたつのゼロの合計はゼロ……ゼロと負の数、ゼロと正の数、またはふたつのゼロの積はゼロである。

一方、ゼロの割り算に関するブラフマグプタの結論はわれわれとは異なる。彼は、0割る0を0であるとし、ほかの数をゼロで割ったらどうなるかは無視した。たとえば4を2で割ると答えは2。4を1で割ると4になる。4を$\frac{1}{2}$で割ると8になる。4を100分の1で割ると400だ。割る数が小さければ小さいほど、答えは大きくなる。では、ゼロで割れば答えは無限になるのだろうか。いや、そうはならない。無限にゼロを掛けても4にはならないからだ。さらに、1をゼロで割っても無限大、2をゼロで割っても無限大なら、1＝2になってしまう。なんてことだ！　ゼロで割ることはまったくの無意味、あるいは「不定」だ。ゼロは奇妙な生きものなのだ。

ゼロの受容

ゼロの概念はインドからメソポタミア（現在のイラクの一部に当たる地域）に広がり、アラブの数学者はゼロの重要性に気づいた。そこからゼロは西に広がった。現在使用されている「アラビア」数字は、実際にはメソポタミアに浸透したヒンズー数字なのだ。

ゲオルク・カントールが発明した集合論（30ページ参照）につづいて、現代の数学者たちは、ゼロを空集合と定義している。イギリスの数学者イアン・スチュワートは、「空集合は何も含まない集合で、わたしが所有するビンテージのロールスロイスのコレクションのようなものだ」とユーモアを交えて説明している。空集合は数学全体の基礎である。

ゼロは、-1と1のあいだにある整数で、偶数でもある。2で割り切れるからだ。負の数でも正の数でもなく、素数でもない。どんな数に0を掛けても0になるからだ。どんな実数を0で割ろうとしても意味がない。答えは不定だ。

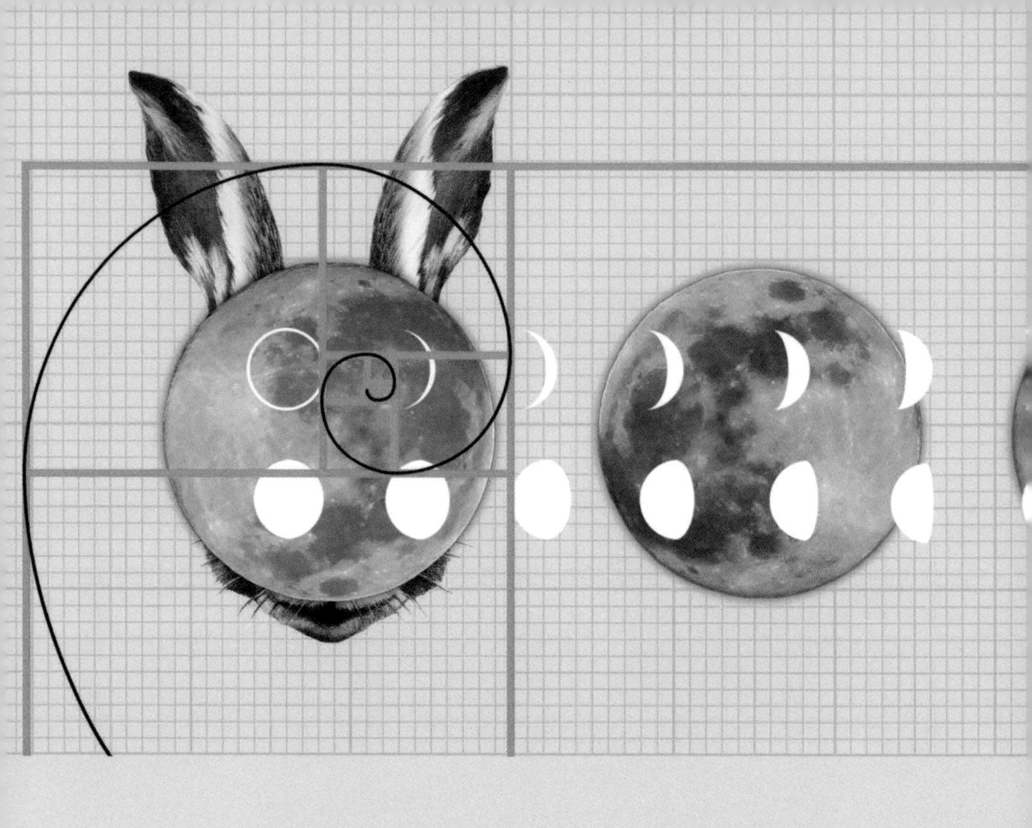

第3章 ウサギと現実

629年～1665年

数と数学は、われわれをとりまく世界の観察から生まれた。たとえば月周期の何日目かを数えたり、山の高さや野原の広さを測量したりという具合だ。歴史を通して、数学者たちは現実世界から絶えずヒントを得ながら、研究を進めてきた。フィボナッチ数列で知られるフィボナッチに発想のヒントをもたらしたのはウサギだ。また、天井に止まっていたハエは、デカルトに数学的ひらめきを与えた。

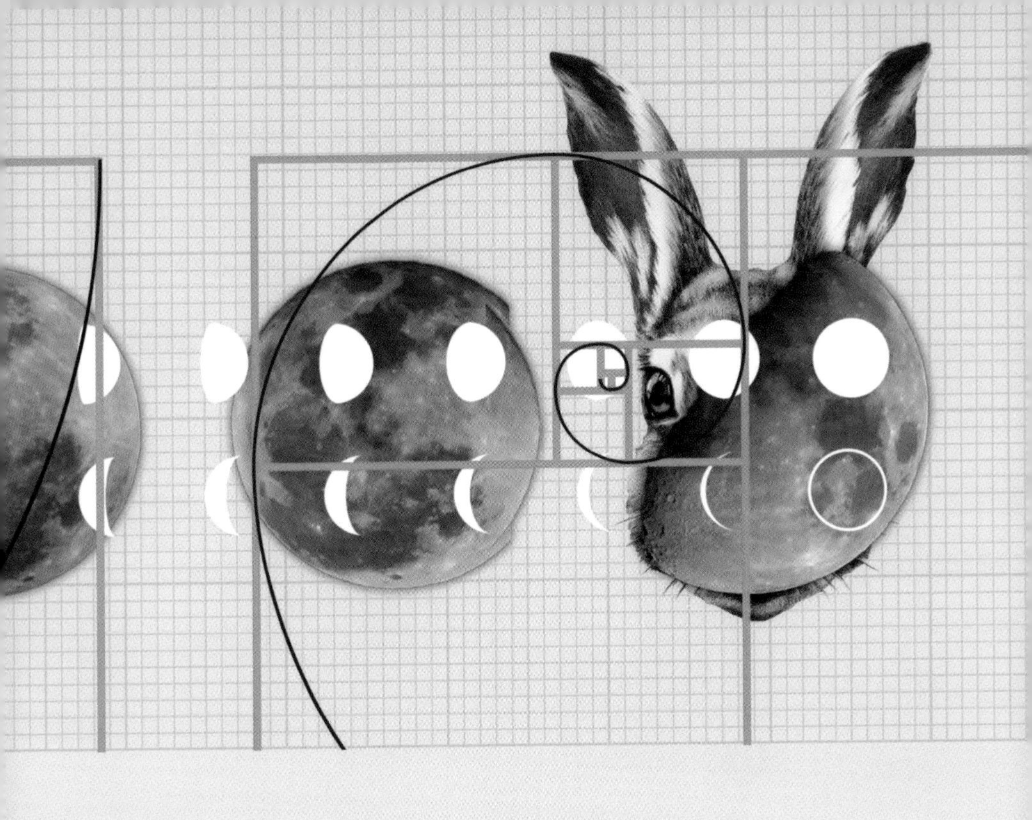

そしてゼロの受容が、数学の世界すべてを変えた。無であり、現実味を欠いたゼロが、なぜなにかの量でありうるのだろうか。現在、数学は現実世界にとどまらない。数学者たちは、存在しないものに対処する方法を学んだ。ボンベリは、虚数は現実に存在する必要があるのに、存在することはできないことに気づいた。さらに無限小という発想は、まずケプラーを、のちにニュートンとライプニッツを、大きな転換点に導いた。

820年

●研究者
アル＝フワーリズミー
●結論
イスラムの黄金時代において、数学の方向は転換した。

数字なしに計算できるか？

２次方程式を解く

イスラム教の聖典であるコーランは、著名な宗教に関する書物の中で、科学研究を奨励している点でたいへん珍しい。信心深い信者たちに、鳥の飛翔や雨の降るようすなどを観察するよう勧めているのだ。コーランが示した科学研究への支持は、自然の謎の解明に大きな影響を与えた。

知恵の館

紀元750年までに、イスラム帝国はスペインから北アフリカを越えてアラビア、シリア、ペルシャにまで広がり、現代のパキスタンのインダス川まで達した。786年9月14日、ハールーン・アッラシードがアッバース朝5代目のカリフに即位した。彼は宮廷に文化をもち込み、知的な規律を確立しようとした。809年に亡くなり、彼の息子のアル・マムンがカリフを継いだ。830年、アル・マムンは、ギリシャの哲学および科学に関する書物をアラビア語に翻訳する「知恵の館」と呼ばれる施設を設立し、写本の所蔵をはじめた。

イスラムの黄金時代をもたらしたのは、780年ごろに現在のウズベキスタンで生まれた若いペルシャ人だ。彼の名前はムハンマド・イブン・ムーサ・アル＝フワーリズミーで、一般にアル＝フワーリズミーと略される。アル・マムンの後援のもと、彼は数学、地理、天文学に関する本を執筆し、バグダッドの「知恵の館」の図書館長に就任した。

ヒンズー数字

アル＝フワーリズミーによって820年ごろに書かれた有名な著書『インドの数の計算法』は、インドの記数法を中東およびヨーロッパ全体に広めた立役者だ（17ページを参照）。彼はこの奇妙な数字で計算を行う方法を示し、問題を解く技術を紹介した。たとえば、

> 3人の男が5日間で作物を植えられるとき、4人いればどれだけの早さで植えられるか。関連する数を書き留めよ。
>
> 3 5 4
>
> 次に、最初の数に2番目の数を掛け（$3 \times 5 = 15$）、3番目の数で割る（$\frac{15}{4}$）と、答えは$3\frac{3}{4}$すなわち3.75日だ。

代数の父

アル＝フワーリズミーによる代数の本は、1次および2次方程式の解法をはじめて体系的に示した。彼の主な成果のひとつは、正方形を描いて2次方程式を解く方法を示したことだ。たとえば、方程式$x^2+10x=39$を解くために、彼はxを1辺とする正方形をつくり、各辺に高さx、幅$\frac{10}{4}=\frac{5}{2}$の長方形を描いて、4つの長方形の面積の合計が$10x$になるようにする。正方形とこれら4つの長方形の面積は、もとの方程式から39になる。

次に、欠けている角に面積$\frac{25}{4}$の4つの正方形を追加して、大きな正方形をつくる。この大きな正方形の面積は39+25、すなわち64だ。したがって、大きな正方形の1辺の長さは$\sqrt{64}$すなわち8となる。したがって、中央の正方形の1辺の長さxは、$8-2\times\frac{5}{2}=3$となる。

アル＝フワーリズミーの本は、独立した分野として代数を扱った最初のもので、アル・ジャブルとアル・ムカバラという方式を紹介している。アル・ジャブルは「縮小」または「折れた骨の治療」を意味する。ここから代数（algebra）という言葉が生まれた。方程式を解く最初の一歩は、式の両辺に同じものを足して、方程式から負の数と根を取り除くことだ。たとえば$x^2=10x-5x^2$は、$6x^2=10x$に整理できる。

アル・ムカバラは、同じ種類のものをまとめることを意味する。たとえば、$x^2+25=x+3$は、$x^2+22=x$に整理される。といってもアル＝フワーリズミーの時代に現代の記数法は存在しなかったので、彼は言葉

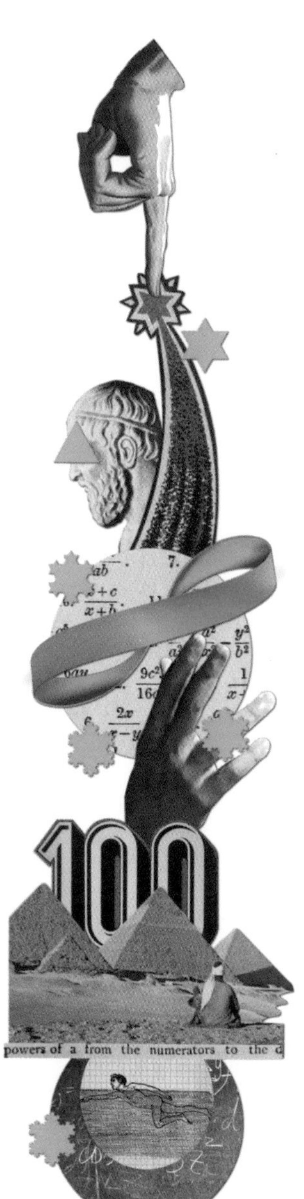

を使ってこのような計算をしなければならなかった。たとえば、アル=フワーリズミーはこのように言う。「10をふたつの部分に分けて、一方にはその数自身を掛ける。それはもう一方に81を掛けたものに等しいだろう」。われわれの表記で書くとこうなる。

$(10-x)^2=81x$

アル=フワーリズミーは、ディオファントスと同様に「代数の父」といわれる（46ページを参照）。ギリシャにおける数学の概念は、本質的に幾何学に関するものだった。この新しい代数により、数学者たちは有理数、無理数、幾何学的な大きさについて議論ができるようになった。

アル=フワーリズミーは純粋数学のみに興味を持っていたわけではない。

算術においてもっとも簡単で有用な部分は、人々が社会生活の中で常に直面する相続、遺産、分与、訴訟、売買、および他者とのすべての取引、あるいは土地の測定、運河の掘削、幾何学的な計算、そしてほかのさまざまな目的や種類の対象に関係する。

彼の名であるアル=フワーリズミーは、英単語「アルゴリズム」の元となった。もともとはアラビア数字をどう扱うかという意味で、現在においてはより一般的に、一連の規則、特にコンピューターによる計算や、段階を踏んでいく方式での一連の過程を意味している。

ウサギは何匹いるか？

1202年

●研究者
フィボナッチ

●結論
数学や、芸術、自然の中に常に表れる数列がある。

自然界の数列

ピサのレオナルドは、かの有名な斜塔の建設が1173年にはじまる直前、1170年ごろに生まれた。彼は一般にフィボナッチとして知られるが、この名はフィリウスボナッチ（ボナッチの息子）の略だ。フィボナッチの父親は商人で税関職員だった。若いころ、フィボナッチは父親とともに地中海を広く旅して、インドから来た「アラビア」の数字について学んだ（17ページ参照）。彼はまた、出会った商人からさまざまな形式の算術についても学んだ。

1202年、フィボナッチは重要な本『算盤の書（計算の書）』を出版した。アラビア数字の紹介を含む本で、ウサギについての魅力的な数列にも触れている。

フィボナッチのウサギのつがい

ウサギたち

赤ちゃんのウサギ2匹が野原にやってきたとしよう。最初の月、赤ちゃんウサギは繁殖するには幼すぎるが、2か月目の終わりには成熟して2匹の仔を産む。この2匹は、2か月後には自分たちの仔を産む。新しいつがいはそれぞれ、2か月ののち仔を産み、その後は毎月2匹を産みつづける。したがって、ウサギの一族は徐々にふえて

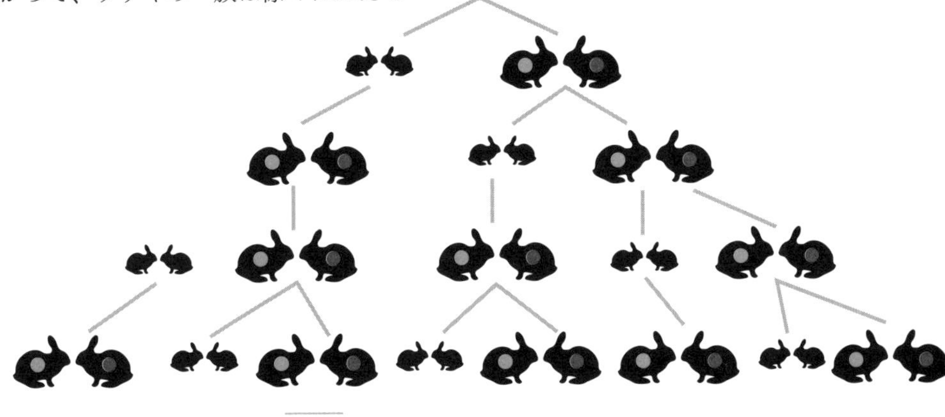

いく。

フィボナッチは、毎月初めにウサギは何匹いるのか？と考えた。1か月目と2か月目は最初の2匹だけだが、その後は仔が生まれ、3か月目にはつがいが2組になる。翌月、最初のつがいは次の2匹を産む。つまり4か月目のつがいの数は3組だ。さらに翌月には2番目のつがいが仔を産むので、5か月目のつがいの合計は5組に増える。

この数列は次のように進む。

1, 1, 2, 3, 5, 8, 13, 21, 34, 55, 89, 144, 233, 377…

数列の数は、前のふたつの数を足した数になっている。1+1 = 2; 5+8 = 13; 89+144 = 233だ。

数学におけるフィボナッチ数

無限につづくこの数列には多くの奇妙な特徴があり、興味深い数学的パターンに従っている。たとえば、3番目ごとの数は2で割り切れ、4番目ごとの数は3で割り切れ、5番目ごとの数は5で割り切れる。数列には幅広く数が出てくるので、フィボナッチ数の和ですべての整数を表せる。数列には意外な規則が無数にあるので、とてもすべてを見つけきれないほどだ。たとえば11番目のフィボナッチ数は89だが、$\frac{1}{89}$ =0.011235…になる。

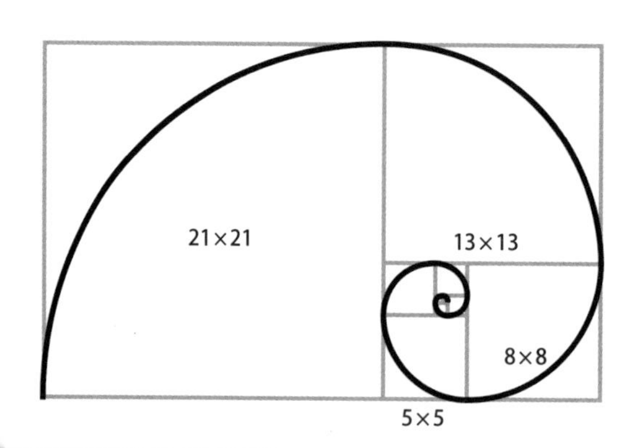

黄金らせん
（フィボナッチ渦）

フィボナッチの時代以来、数学者たちはこの数列の不思議さに興味をそそられてきた。たとえばパスカルの三角形を取りあげてみよう。パスカルはフィボナッチ数を利用しようとは考えていなかったが、三角形の斜めに並んだ数の和にフィボナッチ数が現れる。意外なことに、すべての部分がより小さな同じ形の部分で構成されているフラクタルの特徴をもつマンデルブロ集合にも、フィボナッチ数が出現する。

また、対数数列、素数乗算数列、2進数およびプログラミング・アルゴリズムにもフィボナッチ数列が表れる。その広がりは明らかに偶然とはいえないものだ。数学者たちは何度も何度もこの数列に引き戻されてきた。

驚くべきことではないが、フィボナッチがウサギの個体群の成長研究例にこの数列を示したように、ほかの個体数成長の研究や人口変動モデルにも同じ数列が出現する。都市部の人口増加予測、経済成長モデルにも応用されている。

フィボナッチ数は、自然界において、特に植物の成長によくあらわれる。フィボナッチが気づいたように、ものは2倍ずつ成長していく。成長はあるものの上に築かれ、フィボナッチ数がそれを完全に反映していることは明らかだ。したがって、どんなものの成長においても、フィボナッチ数列が存在する可能性は高い。

黄金比

フィボナッチ数列は、「黄金比」を通じて、芸術と建築においても長年重要な役割を果たしてきた。フィボナッチ数を前の数で割るとき、数が大きければ大きいほど答えは黄金比である1.618に近づく。$\frac{8}{5}=1.6$; $\frac{13}{8}=1.625$; $\frac{21}{13}=1.615$…という具合だ。「黄金区分」または「黄金平均」とも呼ばれる黄金比は、等式$\frac{a+b}{a}=\frac{a}{b}$で定義される。この数は、$\frac{a+b}{a}$を1辺とする長方形に見てとれる。

この長方形の姿は特に望ましいとされ、古代ギリシャ人からル・コルビュジエに至る建築家たち、レオナルド・ダ・ヴィンチからサルバドール・ダリに至る芸術家たちに使われてきた。

1572年

●研究者
ラファエル・ボンベリ
●結論
ボンベリは、虚数が現実に存在しえないのに、存在することを明らかにした。

数は実在する必要があるか？

−1の平方根

数は数だ。改めて指摘するまでもない。しかし、数はいかにして架空の存在になるのか？　ある種の数はいまだに架空の存在である。一方、虚数は、400年以上前、イタリアの数学者ラファエル・ボンベリに注目されるまでは架空の存在だった。

数はいかに虚構になるか？

その答えは平方根と負の数をどう考えるか次第だ。ある数の平方根とは、２乗すると元の数になる数だ。たとえば、９の平方根は3（3×3=9)、４の平方根は２（2×2=4)、１の平方根は１（1×1=1）となる。しかし、負の数の平方根はどうなるだろうか。問題は、負の数どうしをかけると正の数になってしまうことだ。−2×(−2)=+4、−1×(−1)=+1といった具合だ。負の数の平方根は存在する必要があるのに、存在できない。実際の数であって架空の数でもあるのだ。

古代エジプト人たちは、はるか以前からこの矛盾に注目していた。そのひとりが、2,000年近く前のギリシャの思想家アレクサンドリアのヘロン（アイオロスの球と呼ばれる初期の蒸気駆動装置を発明した人物）だ。ヘロンはピラミッドの体積を計算しようとして、その上部を切り落とし、81−144の平方根を見つけようとした。答えはもちろん$\sqrt{-63}$だ。しかし、これがどんな値かわからない。そこでヘロンは単純に符号を正に変え、答えを$\sqrt{63}$とした。その場しのぎの解決法だったが、そうする以外、当時の彼に何ができただろう？　ヘロンの時代には負の数すら慎重な扱いを要した。負の数の平方根に出番はなかったのだ。

ルネサンス期、数学の決闘

しかし、16世紀にこの矛盾はふたたび膨らんだ。イタリアの数学者たちが、方程式$ax^3+bx^2+cx+d=0$を解こうと競い合ったのだ。独特の高揚感に包まれたルネサンス期のイタリアでは、この難問の解決に大きな価値があると考えられていた。1535年、数学界の大物どうしが行った勝負の苦い決着によって突破口が開けた。勝負はニコラス・フォンタナ・“タルタリア”（吃音者）とスキピオーネ・デル・フェロ（またはデル・フェロの助手フィオーレ）とのあいだで戦われた。教会で、お互いの解答を見せ合ったのだ。より徹底した議論を展開したタルタリアが第一戦を制し、切望していたボローニャ大学の数学対決に勝利した。実際にはデル・フェロのほうが先に解答に達したにもかかわらずだ。

しかしそれから10年後、華麗なるギャンブラーであったジェロラモ・カルダーノは、デル・フェロのメモを手に入れ、カギとなる本『アルス・マグナ』を携えて戦いに乗り出した。『アルス・マグナ』でカルダーノは、-1の平方根は存在しうることを論じた（ただしカルダーノは、-1の平方根にはまったく使い道がないと考えていた）。カルダーノの若く賢い門下生であるロドビコ・フェラーリは、カルダーノの巧妙な3次方程式の解法で武装し、タルタリアに新たな数学的決闘を挑んだ。タルタリアは自分が打ち倒されたことを悟り、不名誉な引退を飾った。

これらの決闘で得られた解には虚数が含まれていた。しかし虚数は当初、実在する量というより、巧妙なごまかしとみなされた。

ボンベリ参戦

ここまでがボンベリが登場するまでの状況だ。1572年、ボンベリは『代数』という単純な題の素晴らしい本を著し、代数について素人にもわかるように平易な言葉で語った。

その中でボンベリは虚数と、実数と虚数を組み合わせた複素数について明確に述べている。

ボンベリは、ふたつの虚数を掛けると常に実数になること、そして負の数の平方根をどう扱えばよいかを示した。彼は-1の平方根の正の方を「マイナスのプラス」、負の方を「マイナスのマイナス」と呼び、虚数を扱うための美しく単純な規則をつくった。

マイナスのプラス×マイナスのプラスは負の数になる。

$$[+\sqrt{-n} \times +\sqrt{-n} = -n]$$

マイナスのプラス×マイナスのマイナスは正の数になる。

$$[+\sqrt{-n} \times (-\sqrt{-n}) = +n]$$

マイナスのマイナス×マイナスのプラスは正の数になる。

$$[-\sqrt{-n} \times +\sqrt{-n} = +n]$$

マイナスのマイナス×マイナスのマイナスは負の数になる。

$$[-\sqrt{-n} \times (-\sqrt{-n}) = -n]$$

ボンベリも最初は虚数をごまかしだとみなしていた。「すべての問題は、真実よりも詭弁に属するように見えた」と彼は書いている。「実際にこれ（真の結果）が事実であることを証明するまで、わたしは非常に長いあいだ苦闘した」。

架空のi

つづく2世紀にわたって、一部の数学者たちが負の数の平方根を受け入れる一方、ほかの数学者たちは完全に否定した。最終的に矛盾を克服する道を見つけたのは、スイスの数学者レオンハルト・オイラー（1707〜1783年）だ。彼は「虚数単位」として記号「i」を導入した。iを2乗すると-1になる。iを$\sqrt{-1}$と書いてもよい。オイラーの洞察から、どの負の数の平方根も単にi×平方根として方程式に含むことができるようになった。$\sqrt{-1}$、$\sqrt{-2}$、$\sqrt{-3}$など負の数の平方根はすべて虚数であるが、「虚」といってもそれらの数が存在しないわけではない。虚（imaginary）は、単なる数学用語に過ぎない。

虚数および-1の平方根の中心に謎があるのはたしかだ。しかし、だから扱えないということはない。今日ではもはや虚数がない世界は考えられない。最先端の量子科学にも、航空機の翼や吊り橋の設計にも虚数は不可欠だ。虚数は実数に結び付けられず、それゆえに架空の数だが、実世界の一部である。その点では実在している。架空の数であり、実在の数、存在不能であり存在可能という矛盾した数なのだ。ボンベリは世界を大きく変えた！

骨でどうやって計算するか？

1614年

●研究者
ジョン・ネイピア
●結論
対数、計算機、対数尺の発明。

掛け算の単純化

ジョン・ネイピアは1550年にスコットランドのマーチストン城で生まれた。この城は現在、エジンバラネイピア大学マーキストンキャンパスの一部となっている。父親の死後の1571年、ネイピアは８代目のマーキストン領主（男爵）となった。

すすけた雄鶏

熱心な発明家で、特に軍備に関心があったネイピアは「奇跡のマーキストン」として知られ、地元の人々から未来を言い当てられると噂されていた。彼は、秘密を暴く黒い雄鶏を飼っていた。あるとき、城から貴重な品が盗まれた。ネイピアは従僕たちを塔の暗い部屋に呼び出し、その部屋でひとりひとりに雄鶏を撫でるよう言いつけた。悪事に加担した者がさわると雄鶏が鳴くとも伝えた。しかし、全員の番が終わっても雄鶏は声を上げなかった。ネイピアは従僕たちを照明付きの部屋に連れて行き、両手を上げさせた。一人を除く全員の手が黒くなっていた。手のきれいな従僕は盗みの罪で告発された。彼だけが罪の発覚を恐れ、雄鶏を意図的にさわらなかったのだ。ネイピアは、鶏をすすで塗るという単純な仕掛けで盗賊を発見したのだ。

対数

ネイピアは熱心な物理学者、天文学者で、当時のほかの科学者たち同様に、研究時間の多くを面倒な計算に費やしていた。そのため、研究の進行は大幅に遅れた。1590年ごろ、ネイピアは計算を簡略化する方法を発見した。のちに対数、または「ログ」と呼ばれるようになったものだ。ネイピアは20年以上を費やして対数を計算し、1614年に派手な題をつけた本『素晴らしい対数表の使い方』に成果をまとめた。

ネイピアの対数は、現在の自然対数に近いものだ。$\ln(x)$ または $\log_e(x)$ と表す。ある数の自然対数とは、定数eを冪乗してある数に等しくなるときの指数のことだ。

$\ln(x)=a$

とはつまり、

$e^a=x$

つまり $\ln(2.74)\fallingdotseq 1.0080$ は、$e^{1.0080}\fallingdotseq 2.74$、$\ln(3.28)\fallingdotseq 1.1878$ は、$e^{1.1878}\fallingdotseq 3.28$ を意味する。これらの値は対数表で探せる。

なぜ対数は便利なのか？　2.74×3.28 を計算したいとしよう。現代人たるわれわれはぱっと電卓を使うが、もちろん17世紀にはない。彼らは手計算をしなければならなかった。だが、ログを使えば、値を足し算するだけだ。

$1.0080+1.1878=2.1958$

次に、対数表で2.1958を探す。2.1958は8.9872の対数であることがわかった。これが答えだ。

つまり、ログを使えば、掛け算をしなくてもよいのだ。ただ足し算をすればいいだけだ。イギリスの数学者ヘンリー・ブリッグスは、対数を知って大喜びし、ネイピアを訪ねて北へ向かった。逸話によれば、彼らは出会ったとき、お互いへの称賛をこめた沈黙が15分間つづいたらしい。ブリッグスはその後こう言ったという。「師よ、わたしは長い旅をしているあいだずっと考えてきたのです。あなたがはじめて思いつき、天文学に大きく貢献したもの、つまり対数がいかに機知と創意工夫に満ちているかを」。

のちにブリッグスは、ネイピアの対数を10進数に書き換え、対数表をつづく何世紀にもわたって小学生が使いつづけられるものにした。

ネイピアの骨

ネイピアは、最初の実用的な携帯計算機を発明した。のちにネイピアの杖、またはネイピアの骨と一般に呼ばれるようになったものだ。彼の死の直前、1617年に出版された著書『ラブドロギア』に詳細が語られている。

ネイピアの骨は、平らな棒に書かれた数の表で、フィボナッチが『算盤の書』(57ページ参照)で紹介したアラブ格子乗算を使用している。洗練されていて使いやすい道具だ。各列が、上に書かれた数の乗算表になっていた。

ネイピアの骨は1世紀以上にわたって大人気を保った。ロンドンの日記作家であるサミュエル・ペーピスが1667年、29歳で算術を学んだときのことを記している。「わたしの部屋で、ジョナス・ムーア（ペーピスの家庭教師）が、ネイピアの骨の強力な使い方を教えてくれた」。

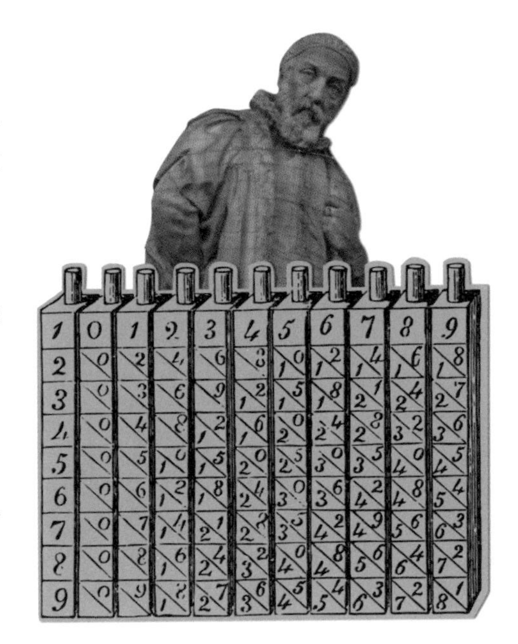

計算尺

ネイピアが発明した対数に次の進化をもたらしたのは、1622年ごろの牧師ウィリアム・オートレッドによる計算尺の発明だった。計算尺には対数目盛があり、単純な足し算をするだけで掛け算の計算ができ、割り算や三角関数などの関数計算にも使用できた。計算尺は数百年にわたって、技術者や科学者にとって標準的な計算道具となった。

1615年

●研究者
ヨハネス・ケプラー
●結論
ケプラーは無限に小さな切片を使って樽の体積を計算し、代金に見合う量があることを確認した。

樽の体積はいくらか？

切片で体積を量る

天文学者ヨハネス・ケプラーは、1609年に惑星の楕円形の軌道と、惑星運動の3つの法則を発見した。しかし、彼は数学、特に複雑な図形の面積と体積の計算にも重要な貢献を果たした。

立体の体積

立方体やピラミッドのような、単純な立体の体積の計算なら簡単だ。しかし、1615年にケプラーは、複雑な形をした立体の体積を計算し、それらの最大値（最大体積）を見つける独創的な方法を考案した。この画期的な成果は、彼の人生の混乱期の終わりに得られた。1601年以来、ケプラーは神聖ローマ皇帝ルドルフ2世に仕える宮廷数学者で、宮廷で占星図をつくるのが基本的な仕事だった。しかし、1612年にルドルフが亡くなると、帝国は政治的混乱に陥り、ケプラーの職も危うくなった。同じ年に妻バーバラがハンガリーで流行した天然痘で亡くなり、息子の一人も天然痘で亡くなった。その上、母カタリーナが魔女裁判にかけられた。ケプラーは帝国の首都プラハから離れて静かなリンツに移り、再婚することにした。彼はお見合い相手のリストを吟味し、最終的に24歳のスザンナ・ロイティンガーを選んだ。体積計算に関する彼の発想にヒントを与えたのは、彼らの結婚式の祝宴だった。

結婚における数学

支払うお金に見合う価値をきっちり得ることに熱心で、責任感にあふれる新郎のケプラーは、あるときリンツのワイン商人に疑問を持った。商人はラインラントの自宅からさまざまな形の樽を持ってきていた。実は商人はかなり得をしているのではないかとケプラーは考えた。商人は樽の真ん中の穴から棒を差し込み、樽の中のワインの量を量る。棒を斜め下の隅に向かって対角線の方向に差し込み、どこまでがワインで濡れるかを確認するのだ。この方法は、樽の形がちがっても機能するだろうか。

ケプラーは２年かけてこの興味深い知的パズルを分析した。その結果をまとめて1615年に出したのが『葡萄酒樽の新しい立体幾何学』という著書だ。画期的な数学の本にふさわしい題である。

まずケプラーは、曲面をもつ立体について、面積と体積を求める方法を調べた。数学者たちは長いあいだ、小さく分割された要素を利用する方法について研究してきた。理論的には、立体の形に合わせて小さな要素に分割した上で加えて、図形の面積や体積を求めることができる。たとえば円の面積については、細長いパイの一切れのような形の三角形を使って求められる。アルキメデスが円周率の値を推定した方法である。

惑星の軌道について研究していたとき、楕円の面積を計算しなければならず、ケプラーはすでにこの発想を得ていた。アルキメデスは三角形を使って円の面積を求めたが、ケプラーは14世紀フランスの哲学者ニコレ・オレスメにならって、楕円を垂直方向に薄切りした。次に、その切片の垂直方向の高さまたは縦座標を使って、楕円の面積を計算した。

無限小を受け入れる

そんなケプラーが、樽やその他の立体の体積を、薄い層の積み重ねとして求めることは自然な流れだった。もちろん総体積は、薄い層の体積の合計になる。樽の場合、薄い層は背の低い円柱で、それぞれの円柱の体積は簡単に計算できる。単純な話だ。

しかし待ってほしい。もし円柱に厚みがなければ、体積もない。それでは厚めに薄切りするのはどうだろうか？

いや、円柱は側面がまっすぐで、樽は曲がっているのでうまくいかない。ケプラーはついに「無限小」という概念を受け入れ、この難局を抜け出した。無限小とは、無限に小さい、しかし消えることなく存在する量のことだ。ケプラーはこの概念について考えた最初の人間というわけではない。しかし彼の研究は、この発想を大きく進展させた。

ケプラーは体積を計算する方法を手に入れ、同じ方法を使って、体積が最大になるのはどんな形の樽なのかを求め、商人の棒に関する問題を理解した。今回は、円柱の高さ、直径、上から下への対角線でできた三角形を使う。ここでついに次の問いに到達する。対角線の長さが、商人が使う棒のようにあらかじめ決まっている場合、高さを変えると体積はどう変わるのか？

計算の結果、高さが対角線（棒）の半分ほどで、背が低くずんぐりした（オーストリアの樽のような）樽の体積が最大になることがわかった。ライン川沿いのケプラーの故郷で使われる背の高い樽は、はるかに少ない量のワインしか入らず、ケプラーは損をしていたのだ。彼はまた、体積が最大値に近づくほど、体積の増加率が少なくなることに気づいた。

微積分の基礎

以上の観察は、その後の微積分学の発展に大きな役割を果たした。ケプラーが採用した無限小が、のちのニュートンとライプニッツが微積分を発展させる上で重要な基盤となったからだ。

自然は、数や幾何学図形のようにすっきりした部分に分割できない。自然現象は連続していて多種多様なのだ。その点が、数学を用いた自然研究の問題だった。しかし、無限小が、その食いちがいを埋めてくれた。現代において、数学が世界を理解する手段として重要な役割を果たしているのは、無限小のおかげなのだ。

座標系とは何か？

1637年

●研究者
デカルト
●結論
デカルトによる座標軸と座標の素晴らしいシステムは、１匹のハエからはじまった。

解析学のはじまり

ルネ・デカルトは1596年、フランス中部のトゥール近郊で生まれた。生家は資産家で、デカルトはラフレッシュのイエズス会附属の学校に送られた。病弱だったため、ほかの学生のように午前５時に起こされることはなく、毎朝午前11時まで寝ていた。この習慣は一生続いたという。デカルトは学校で好成績をおさめたが、学校で学んだ唯一のことは、自分がどれだけ無知であるかということだけだという結論を下した。パリでしばらくふたつの軍隊に属して過ごしたあと、デカルトは20年間オランダに滞在し、数学と哲学に取り組んだ。

デカルトは、哲学者として人々に記憶されている。特に名高いのは、1637年の著書『方法序説』だ。彼は自分が読んだり、見たり、聞いたりしたことに何も確信が持てないゆえに、第一原則に戻る必要があると判断した。彼が残した有名な言葉「コギト・エルゴ・スム（我思う、ゆえに我あり）」は言い換えれば、自分が思考しているならば、思考している何者かが存在するはずで、その何者かは自分だということだ。今日、多くの哲学者や心理学者は、思考する主体こそが連続的な自己であるという発想や、「デカルトの心身二元論」、つまり心と体は異なる実体であるという考えを否定している。ただ、それでデカルトが軽視されるということはなく、現代哲学の父と呼ばれている。

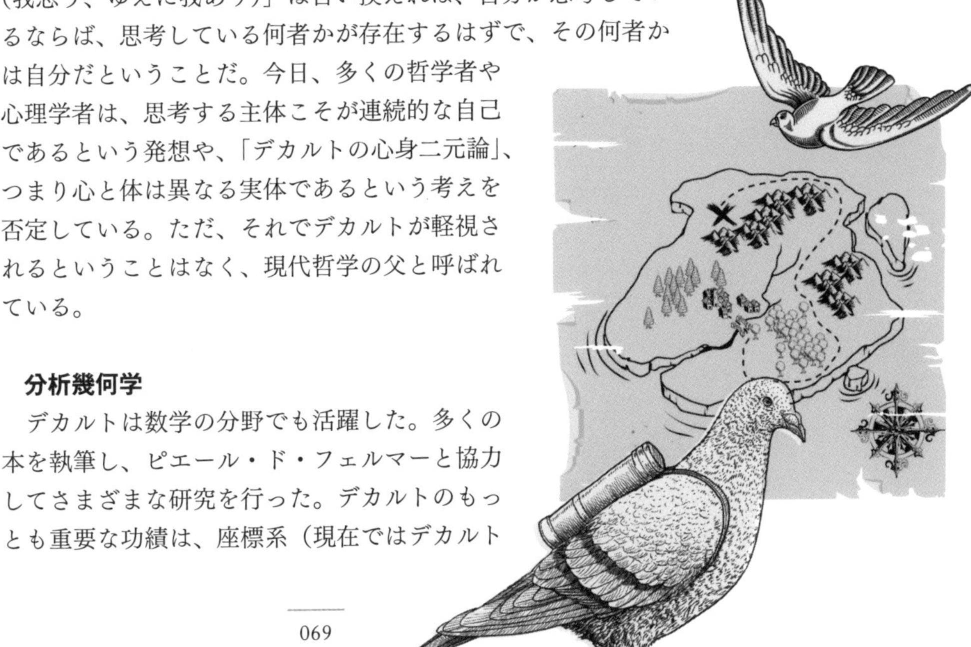

分析幾何学

デカルトは数学の分野でも活躍した。多くの本を執筆し、ピエール・ド・フェルマーと協力してさまざまな研究を行った。デカルトのもっとも重要な功績は、座標系（現在ではデカルト

座標系ともいわれる）を発明したことだ。

自分が鳩、あるいはヘリコプターの操縦士で、イギリスのサフォーク海岸にあるオーフォードから、海上のほぼ北東方向13キロメートル先の目的地まで飛行したいとしよう。霧が出ている海の上で、どのように目的地を見つければいいだろうか。

GPSは海上ではほとんど助けにならない。頼りになる目印もないので地図も使えない。目的地がどこにあるかを見つけようとすれば、目的地の座標があればいい。

さて、目的地はオーフォードの東12キロメートル、北5キロメートルにあることがわかった。つまり、その座標は（12, 5）である。そこまでわかれば、東に12キロメートル飛行し、次に北に5キロメートル飛ぶか、あるいは正しいコンパス方位（約22.5度）を計算して、直接13キロメートルを飛ぶこともできる。

デカルトは、代数学を使って幾何学を説明することを思いついた。x、y、およびzを未知数として、a、b、およびcを定数として使い、方程式を$ax^2+by^2=c$などの形で表しはじめたのだ。デカルトは、xの2乗をx^2、yの3乗をy^3と表した最初の人間だった。伝えられるところによると、彼はある朝、オランダでベッドに横になり、天井のハエを眺めていたとき、ひらめきとともにこの発想に至ったという。

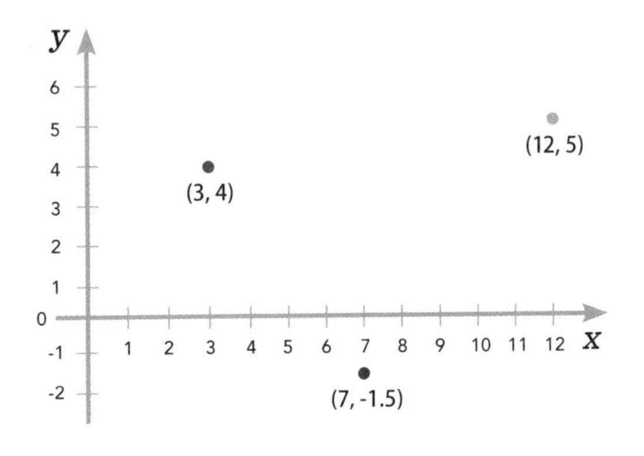

デカルト座標系

解析幾何学では、平面上のすべての点に、実数の組み合わせで表す座標がある。右の図に示されている点は（3, 4）、（7, -1.5）、（12, 5）だ。東方向は$+x$、北方向は$+y$に置き換えられる。負の座標も完璧に機能する。

これらの座標を使用すると、方程式を図に示すことができる。たとえば方程式$y = \frac{x}{2} - 2$では、$x = 0$のとき$y = -2$になる。$x = 4$のとき$y = 0$、$x = 10$のとき$y = 3$だ。方程式のグラフはこれらの点を通る直線になる。

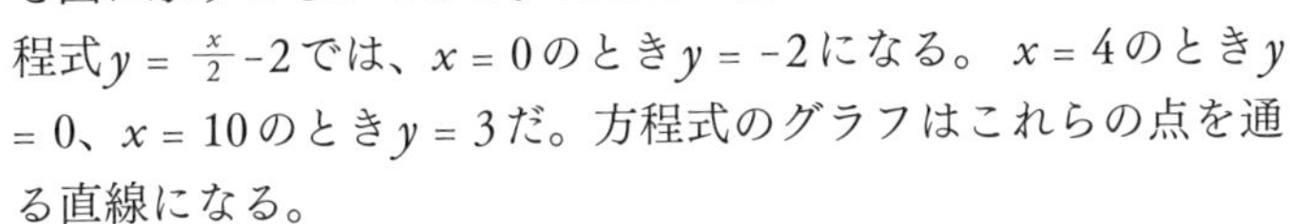

デカルト座標系は3次元でも機能する。この「ユークリッド空間」のポイントは、x、y、zの3つの変数によってひとつの点の位置が決まることだ。

デカルト座標系の威力は、幾何学の問題を代数の問題に変え、およびその逆も可能にすることだ。また、曲線を代数で記述し、代数を使って、直線との距離、直線となす角度、曲線がつくる領域の面積、曲線がほかの曲線や直線と交差する点の計算もできる。

有用な座標系はほかにもある。もっともよく知られているのは極座標系だ。点の位置を、原点（極）からの距離、r（半径）、およびx軸との角度θ（シータ）で、つまり原点からの距離と方向で表す座標系だ。この仕組みには多くの使い道があり、特に物理学において、軌道運動の図式化に使われる。

球面座標系は、3次元の極座標を使う。ほかにも狭い特定の用途を持つ座標系、たとえば古典ハミルトン力学で使用される正準座標などもある。しかし、これらのいずれもデカルト座標系に代わるほどではない。デカルト座標系は覚えやすく、子どもにも教えやすい仕組みだ。

1653年

●研究者……………………………
ブレーズ・パスカル
●結論…………………………………
偶然が結果を左右するゲームに勝利する確率は計算できる。

確率とは何か？

確率論の発明

シュヴァリエ・ド・マレ卿を自称するアントワーヌ・ゴンボーは、1600年代中ごろ、フランスのサロンの人気者のひとりだった。機知に富み、都会的な彼は、リベラルな思想をもち、知的な人々の一団の中で大いに浮かれ騒いでいた。ゴンボーは賭博師でもあり、賭けが突然中断されたとき、賭け金を公平に分割するにはどうすればよいかという問題に興味を持った。通常、偶然が結果を左右するゲームでは、たとえば1人のプレーヤーが特定のラウンド数を勝った場合にのみ終わる。しかし、そのゲームが中断された場合、各プレーヤーが実際に獲得したラウンド数を反映した上で、賭け金をどのように分配すべきだろうか。

欠陥のある場

ゴンボーはマリン・メルセンヌのサロンに集う、一流の数学者と面識があったので、この問題を1652年にサロンで提示してみた。2人の男がそれを取り上げた。華麗なるフランスの哲学者であり数学者でもあったブレーズ・パスカル（1623〜1662年）と、彼に匹敵する才能をもつピエール・ド・フェルマー（1607〜1665年）だ。ゴンボーは、彼ら数学の巨人たちがどんな深遠な答えに達するかを予想することすらできなかった。パスカルとフェルマーは、書簡のやりとりによって、ともに確率論の基礎を築いた。

賭博に対する関心から、すでにこの問題の解決に役立つ洞察がいくつか生まれていた。前世紀には、パチョーリ、カルダーノ、タルタリアらイタリアの数学者が、特定の手順のもとで、サイコロで特定の目が出る確率、または特定の札が出る確率について考えをめぐらせていた。しかし、彼らの理解は良くてもあいまい、悪くすると単なる思いこみだった。こうした先例とは異なる成果を上げたのが、フェルマーとパスカルだ。特にパスカルの貢献は決定的である。

1652年から翌年にかけてパスカルはこの問題に熱心に取り組んだ。

彼は、どんな出来事の確率も、それが起こる回数の割合で決まると考えた。サイコロには6つの面があり、サイコロを振ったときに特定の目が出る可能性は6分の1だ。言い換えると、確率を計算することは、その出来事が起こる場合の数を記録し、それをすべての場合の総数で割ることを意味する。

パスカルの三角形

このような計算はサイコロがひとつなら簡単だが、ふたつのサイコロを振ったり、52枚のトランプを配ったりする場合、驚くほど複雑になってしまう。たとえば、6枚のカードの組み合わせは何種類ありうるだろうか？

ポイントは二項式、つまりふたつの項を持つ式にあるとパスカルは考えた。たとえば$x+y$の場合、変数のひとつは起こり得る組み合わせの数であり、もうひとつは対象物（たとえばカードまたはサイコロ）の数だ。確率は、二項式を希望の回数nで累乗するとわかる。$(x+y)^n$だ。二項式をn乗すると、各項の係数（変数の前につく数）には一定のパターンが表れる。$(x+y)^2$ は $1x^2+2xy+1y^2$、$(x+y)^3$は$1x^3+3x^2y+3xy^2+1y^3$だ。係数1はふつう省略されるが、ここではあえて明示した。

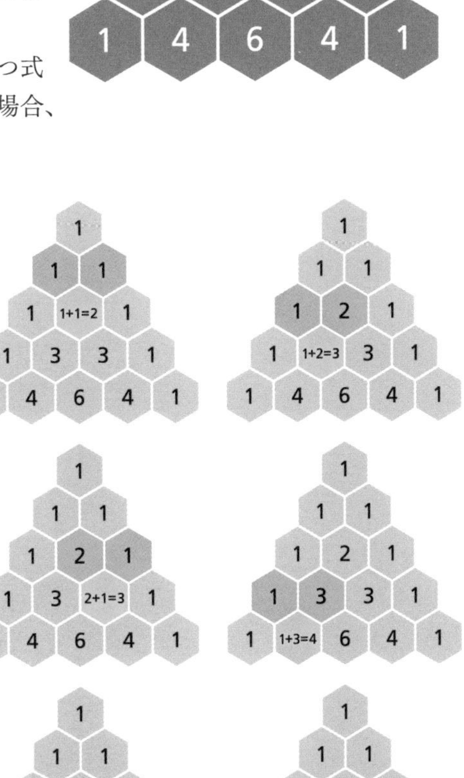

こうして見ると複雑なようだが、この問題に取り組んだパスカルは、天才的なひらめきを得た。パスカルは、起こり得る場合の数を段階を追って数え、試行が行われた回数を行に整理して並べることにした。試行が進むにつれて、起こり得る場合の数はどんどん多くなるため、この行列は、単純な数の並びからはじまる正三角形の形になった。

それぞれの数は、上の行の隣り合うふたつの数の合計だ。

三角形を構成する数は、特定の個数の選択肢から、特定の個数の対象物を選ぶ場合の組み合わせの数になっている。また三角形の各行は、2項式を累乗するときの係数を示す。1,2,1、1,3,3,1という具合だ。これは、起こり得る場合の数を見つけるには、正しい行を見る必要があることを意味する。パスカルは限られた大きさの三角形しか示さなかったが、この三角形は無限に拡大できる。2項係数とこの三角形を構成する数ははっきりと対応しており、偶然ではありえない。この三角形は、数と確率に関する根本的な真理を明らかにし、この発見は確率論の基礎となった。

「パスカルの三角形」として現在知られるこの三角形は、単なる2項式の検索表ではなく、本当に驚くべき性質を持っている。これは実際には、パスカルよりはるかに古い時代に発見されていた。紀元前450年には、インドの文献に「メル山の階段」として掲載されているのだ。しかし、真にこの三角形の価値を見出したのはパスカルだった。

賭博を超えて

それから何世紀にもわたって、数学者たちはパスカルの三角形から多くの重要なパターンを発見してきた。最も興味深いもののひとつはフィボナッチ数列だ（57ページ参照）。そして、1行目から各行までの数字を足す（たとえば1行目から2行目までなら3、1行目から3行目までなら7）とメルセンヌ数が得られる。1、3、7、15、31、63などで、2の累乗から1を引いて得られる数のことだ。

より際立つのは、ある数で割り切れる数を着色すると、美しいフラクタル模様が浮かび上がることだ。2で割り切れるすべての数に色を付けると、ポーランドの数学者ヴァツワフ・シェルピンスキー（1885〜1969年）にちなんで、「シェルピンスキー三角形」と呼ばれる驚くべき三角形の模様が生まれる。パスカルの三角形は真に数学者にとって金鉱、または氷山のように、深く探るにつれてより多くの秘密が明らかになっていくのだ。

シェルピンスキー三角形

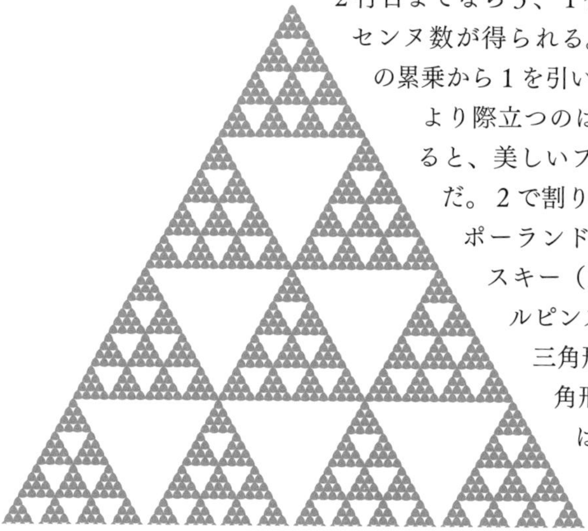

小さな一歩の速度を測れるか？

1665年

●研究者
アイザック・ニュートン、ゴットフリート・ライプニッツ
●結論
微積分を使えば、無限小の時間における変化率を計算できる。

微積分の発明

アイザック・ニュートンは病弱な若者だった。1642年のクリスマスイブ、生まれたばかりのニュートンは体がとても小さく弱っていたので、その一晩を生き延びられるとは誰も思わなかった。父親はニュートンが生まれる前に亡くなっていた。2歳のとき、母親は裕福な聖職者と再婚し、自分の両親に息子を託した。祖父母は子どもを優しく世話するタイプではなかった。ニュートンは孤独で、内省的な性格に育ったが、その一方、幅広い分野の問題に同時に焦点を当て考える驚くべき能力を身につけた。そのおかげで彼は史上最高の科学者となった。

ペストを乗り切る

ニュートンが学んだ小学校の校長は、なんとか彼をケンブリッジに行かせて法律を勉強させたが、1665年に伝染病のペストがついにケンブリッジに到達し、ケンブリッジは閉鎖された。ニュートンはグランサムの近くのウールスソープにある母親の家に戻った。

その家にひとりとどまり、ニュートンは虹の色から月と惑星の軌道まで数々のテーマについて思索を深めた。純粋数学の分野での成果のひとつが、微積分の発明だ。自身が約50年後に書き残したように「すべては1665年と1666年のふたつのペストの時代に起きた。当時はわたしの創造的時代の最盛期で、それ以降のどの時代よりも、数学と哲学にもっとも意識を集中していた」。

今日、技術者や科学者、医学研究者、コンピューター科学者、経済学者などが微積分の恩恵に浴している。しかしニュートンが微積分を発明したそもそもの理由は、イタリアの科学者ガリレオ・ガリレイが残した問題を解決するためだった。

ガリレオの球

1590年代、ガリレオは落下する物体の科学を研究した。アリスト

テレスは、大きな物体は小さな物体よりも速く落下する、つまりレンガは半分の大きさのレンガの2倍の速さで落下すると主張した。ガリレオはこれに同意せず、ピサの斜塔からさまざまな重さの球を落とし、すべてが同じ速度で落下することを示した。

ガリレオはさらに、坂を使って実験を行った。彼は木の梁に沿って溝を切り、磨き、羊皮紙で裏打ちした。それから木の片方の端を支柱で支え、磨いた銅の球を上から転がした。斜面を転がすことで（事実上落下は遅くなる）、どれだけの速さで落ちるのかを精密に測ることができた。

転がるにつれて球の速度は上がり、1秒間に1単位、2秒間に4単位、3秒間に9単位、4秒間に16単位の距離を転がることがわかった。転がる距離は、時間の2乗に比例していた。

ガリレオは球が一定の割合で加速していることに気づいた。「坂の途中から転がしたときも、等しい時間間隔で加速していく」と彼は述べている。しかし、その動きを数学的に説明することはできなかった。約70年後、ニュートンがこの問題を取り上げた。

ニュートンの流率法

ニュートンは、任意の瞬間にガリレオの球の速度を測るには、瞬間的な位置の変化率を計算する必要があることに気づいた。dを転がる距離、tを時間とし、時間は極小の量であるqだけ増加するとする。距離は時間の2乗に比例するから、転がる距離は$(t+q)^2-t^2$で、$2tq+q^2$と等しくなる。

tが$t+q$に増加するあいだ、平均変化率（ニュートンはdの流率と呼んだ）は、$(2tq+q^2)\div q$、すなわち$2t+q$だ。しかしqは無限小の量で、それがさらに小さくなるとすると、変化率$2t+q$

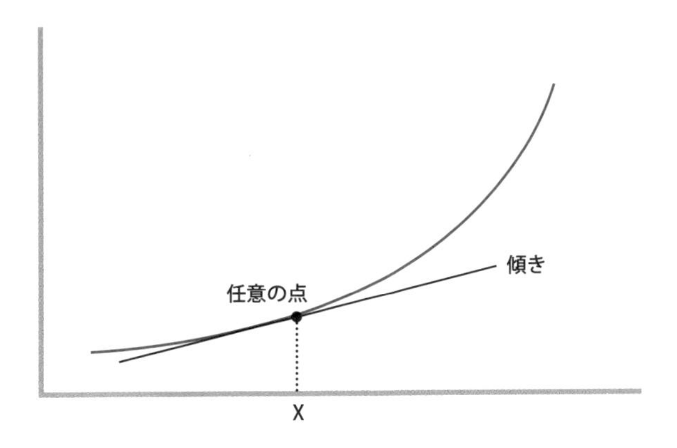

はどんどん$2t$に近づいていく。極限においては、qがゼロに近づくにつれて、変化率は$2t$に等しくなる。

これが微分だ。t^2 を微分すると$2t$になるといえる。

まだ複雑な操作には見えない。しかし、これは大きな進歩だった。ニュートンは無限小の時間を捉えたのだ。無限は非常に扱いにくい概念だが、数学そのものを決定的に変えた。

この計算によって、曲線の傾きを計算できるようになった。上の曲線がt^2 を示すグラフだとすると、任意の点における曲線の傾き（正接）を出すことができる。

ニュートンの著書『流率法』は1671年に完成したが、ニュートンの死からかなり遅く、1736年まで刊行されなかった。この遅れの原因の一部は、ニュートンが秘密主義で、発想を批判されたり、あるいは盗まれたりすることを望まなかったからだ。ニュートンは微積分を使って、惑星の運動、回転する流体の表面、地球の形状、および1687年に刊行された傑作『プリンキピア・マテマティカ』で扱っている多くの問題を解決した。

ライプニッツ騒動

一方、ドイツの数学者ゴットフリート・ライプニッツは、ニュートンに遅れること7年で（1673年ごろ）まったく独自に微積分を発明し、こちらはすぐに本を刊行してしまった。すぐに激しい論議が巻き起こり、ニュートンとライプニッツの双方が、相手が成果を盗んだとして非難しあった。 ただし、ライプニッツが先に書籍を刊行し、よりわかりやすい表記法を使っていたため、ライプニッツの手法が広く使われることになった。

第4章　数学の空白をつなぐ

1666年～1796年

アイザック・ニュートンが残した有名な言葉がある。「もしわたしがさらに遠くを見通したというなら、それは巨人の肩の上に立ったからだ」。ニュートンの（そしてライプニッツの）微積分の発明につづく数学的発見についても、同じことがいえる。彼らは数学者たちに、宇宙の秘密を解き明かす新たな道具を与えた。そして、数学者たちはニュートンとライプニッツから受け取った道具を使って、彼らの手の上にさらに成果を積み重ねた。

ニュートンの時代が明けた後はオイラーの時代だった。その後に出現したのが、オイラーと同じくあらゆる方面で才能を発揮したカール・ガウスだった。彼らはまちがいなくもっとも偉大な数学者に数えられる存在であり、双方が古典力学や数論などの多様な分野に貢献した。このころ、ラグランジュやベルヌーイなどほかにも素晴らしい数学者がいたが、オイラーとガウスはポストニュートン時代を担う2人の巨人だった。

1728年

● 研究者

レオンハルト・オイラー

● 結論

ネイピア数eは、継続的な成長を示す定数だ。

ネイピア数とは何か？

すべての成長の陰にある数

ものは常に成長している。細菌は増殖する。人口は増加する。火は燃え広がる。生物種は侵入する。 複利は段階的に増えていく。これらすべての現象に関わっているのが、微積分だ。そして微積分の領域で、もっとも重要な数のひとつが、ネイピア数、eなどと呼ばれる数だ。成長や変化率について計算するなら、eが必要になる。

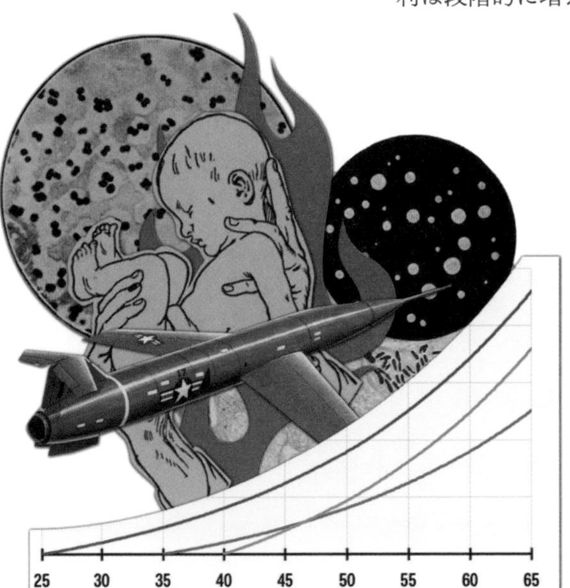

数学者たちは、古代エジプトの最も初期からπについて知っていた。πが役立つことははっきりしていたからだ。円の面積を計算したければ、πが必要だった。しかし、eが必要なことは18世紀まで誰も知らなかった。なぜなら、まだ物事の変化の速さを分析するのに数学が使われていなかったからだ。

対数表

対数は成長を表すのに適した数だ。ネイピアの対数の本には、さまざまな数の自然対数を示す付表がある。自然対数は、底に10ではなくeを使う対数だが、ネイピアはeという記号を使わず、その意義は評価されなかった。同じ16世紀の後半に、オランダの優れた科学者であるクリスティアーン・ホイヘンスは、グラフが示す「対数」曲線を割り出した。

ホイヘンスの対数曲線は、今日私たちが指数曲線と呼んでいる曲線である。指数関数的な成長は、単に加速的な変化に過ぎないと誤って解釈されることがある。しかしそこにはもっとはっきりした意味がある。それは、成長する速さが常に量に比例しているということだ。したがって、ウサギの個体数が毎月2倍になる場合、2、4、8、16、32、64、128、256というように変化していく。

関心の高まり

1683年にスイスの数学者ヨハン・ベルヌーイが複利計算に応用したのをきっかけに、eの重要性はより高まった。毎年1ポンドの貯金に100%の利息がつく寛大な銀行があったとすると、年末には2ポンドになる。それでは、利息が6か月ごとに50%つくとしたらどうだろうか。6か月後には1.50ポンド、1年後は1.50ポンドに50%の利息がつくから、2.25ポンドになる。

実際、複利を計算する頻度が高ければ高いほど、複利計算によってより多くの金利を得られる。しかし、頻度を上げると、1回あたりの金利は減っていく。1日あたりの金利は2.71ポンドになり、これは限界にかなり近づいている。分秒単位になるとますます減っていく。毎瞬間ごとに複利を計算したらどうなるか？　このとき金利の増加速度は完全に横ばいになる。

最後の切り札、e

ベルヌーイはこの極限の値が2から3のあいだになることは知っていたが、正確に計算することはできず、対数との関連もわからなかった。そこでレオンハルト・オイラーの出番である。1731年、クリスティアン・ゴールドバッハに宛てた書簡で、オイラーはこの数をeと呼んでいる。「e」は彼の名前の頭文字であり、「指数の」を意味するexponentialの最初の文字でもある。ただしオイラーがeと名付けたのは、おそらくeがaにつづく最初の母音だったからだだろう。

e（のちにネイピア数と呼ばれるようになった）の命名より重要なのは、その値の計算だった。オイラーは1748年に、著書『無限解析序説』でその値を発表した。eの値を計算するのに、オイラーは階乗を使った。2の階乗は2!と表し、$1 \times 2 = 2$を示す。3の階乗は3!で、$1 \times 2 \times 3 = 6$だ。階乗を計算するには、1からその数までのすべての整数をかければいい。この階乗を利用してeの値は次のように計算できる。

$$e = 1 + \frac{1}{1!} + \frac{1}{2!} + \frac{1}{3!} = 2 + \frac{1}{2} + \frac{1}{6} = 2.666...$$
$$e = 1 + \frac{1}{1!} + \frac{1}{2!} + \frac{1}{3!} + \frac{1}{4!} = 2 + \frac{1}{2} + \frac{1}{6} + \frac{1}{24} = 2.708333...$$

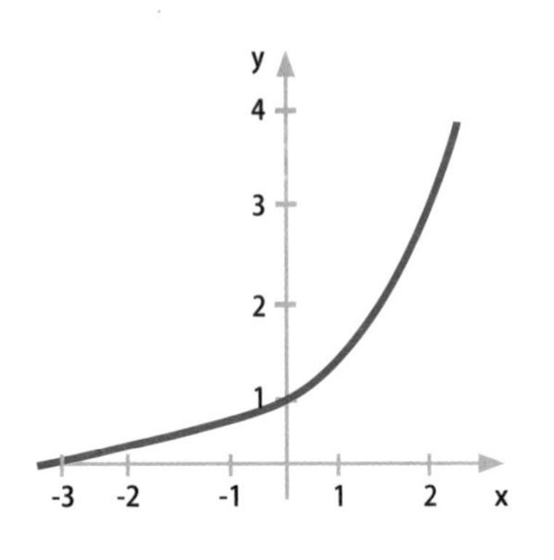

曲線 $y=e^x$

オイラーはこの計算を無限大まで続ける必要があった。彼は小数点以下18桁までの値を出した。

$e = 2.718281828459045235$

オイラーはどうやってその値を出したか明らかにしなかったが、おそらく$\frac{1}{20!}$までの計算で済んだだろう。1962年、ドナルド・クヌースがeを小数点以下1,271桁まで計算したが、数学者たちはeをπのように厳密な値にする必要性を感じておらず、ほとんどの目的はオイラーの値で十分果たせる。

成長定数

eが特別なのは、成長を示す定数だからだ。yの増加をeの冪乗で示すグラフでは、任意の点でのyの値はe^xであり、傾きもe^x、曲線の下の領域の面積もe^xだ。つまり、他のどの値からでもその値が得られ、驚くほど便利だ。実際、現代の微積分はそれなしでは非常にむずかしくなるだろう。

オイラーはまた、−1の平方根を表す別の重要な数学記号iも考案した。オイラーはそれらを統合し、数学者たちがもっとも単純で美しいと讃える式を導いた。

$e^{i\pi} + 1 = 0$

この公式に数学のすべてが含まれるといわれる。

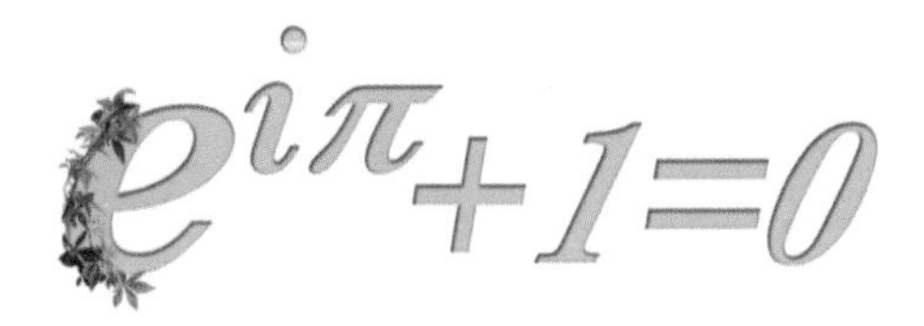

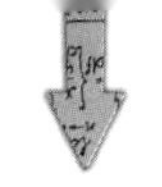

はたして橋は渡れるか？

1736年

●研究者
レオンハルト・オイラー

●結論
グラフ理論は数学の分野のひとつで、接続について追究している。

グラフ理論を生んだゲーム

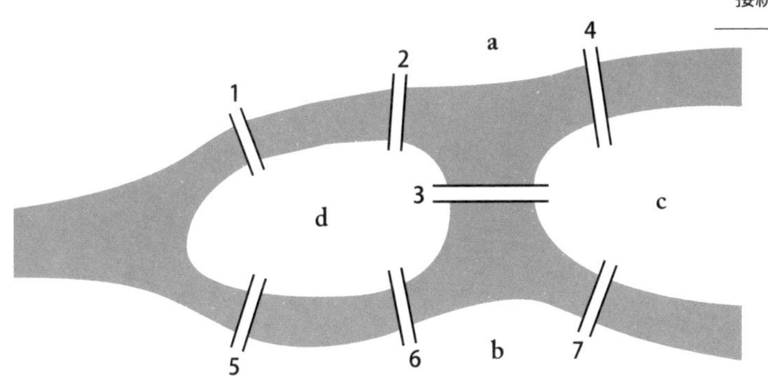

プレーゲル川

言い伝えによると、プロイセンのケーニヒスベルク（現在のロシアのカリーニングラード）の住民は、プレーゲル川沿いを散歩して夏の夜を過ごし、７つの橋で川を渡ることを楽しんでいたという。川にはふたつの島があり、橋は島と本土をつないでいる。地元民たちは、すべての橋を必ず一度渡り、また一度しか渡らないという挑戦をしたが、誰もそれを達成できなかった。これはカフェのワインのせいなのか、あるいは配置のせいだろうか？

たとえば、北西の角からはじめて、橋１を渡って島に行き、次に橋２を渡って本土に戻るとする。次に橋４を渡ってもう一方の島に行き、橋３を渡って最初の島に戻り、橋６と橋５を通ってまた島に戻る。ここで島に足止めをくらい、橋７は渡れない。

橋が1、5、6、２または1、5、7、4しかなければ簡単だが、これら７つの橋はかなりむずかしいパズルを構成する。島がふたつあることも問題をよりむずかしくしているように見える。橋の数が偶数ならよいと思えるかもしれない。しかし橋の数が奇数の場合でも、たとえば橋１、橋５、橋６、橋３、および橋４を横断することで簡単に岸に戻れる（橋の数は５つ）。散策する住民はひどく混乱したにちがいない。

グラフ理論

このパズルはスイスの数学の天才、レオンハルト・オイラーによって解決された。オイラーは、陸をどう横切るかは問題と無関係であると指摘した。重要なのは橋の組み合わせだけだ。オイラーはパズルを整理して、緑の点（オイラーはノードと呼んだ）が土地、黒い線が橋を表すグラフに置きかえ、問題の本質を明確に表した。

オイラーは、重複なしですべての橋を渡る方法がないことを証明した。彼は通り抜けられる方法がある状況を示したが、ケーニヒスベルクはそれらに当てはまらなかった。

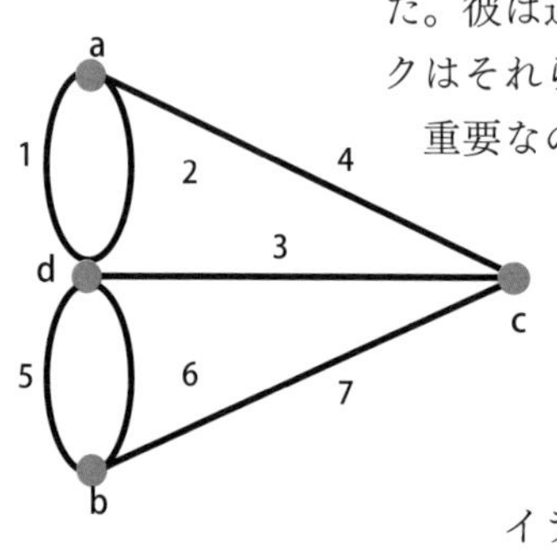

重要なのは、経路の位置や配置ではなく、ただ分岐点のパターンだけだ。オイラーは問題全体を、土地を表す点（ノード）と、点を結ぶ線だけを使ったグラフに整頓したのだ。

普遍的なネットワーク

オイラーはこのように普遍的な方法をつくりあげた。オイラーに従って、同様の問題を線とノードに整理するだけで検討できる。線は現実を反映する必要はなく、それはノードも同様だ。ただの模式図でいい。必要なのは、適当な場所にノードを置き、それらを線で結ぶことだけだ。

この単純な発想は、地理の問題を数学の問題に変えただけでなく、多くの地図製作者に刺激を与えた。多くの場合、地図は場所と場所との接続を模式的に示せばいいだけだと気づかせたのだ。場所と場所をつなぐ曲がりくねった道の複雑な細部は必要ない。この発想がいかに強力に普及しているかは、航空路線の地図、またはロンドンの地下鉄の古典的な路線図を見るだけでわかる。

よい接続

さてオイラーは、陸の塊を示す4つの点と、7つの橋を示す7本の線を手に入れた。この状況は端的に、それぞれのノードがどれほどよく接続しているかを示す。ノードのうち3つは3か所につながり、中央の島のノードは5か所につながる。ノードがいくつの場所につながるかを考えるこの発想は現在では次数と呼ばれ、トポロジーの分野で非常に重要なものだ。オイラーのケーニヒスベルクの橋に関する成果は、数学の幅広い分野に影響を与えた。

オイラーは、一連の道筋が同じ地点に戻る閉路と、異なる地点で終わる開路のちがいに注目した。すべてのノードの次数が奇数の場合、道筋が見つからないことは直感的にすぐわかる。出ていく先と戻る先の地点が同じ数だけ必要だからだ。つまり、次数が偶数のノードが少なくともひとつは必要になる。

同じことが開路にも当てはまる。どう配置するにせよ、次数が奇数のノードがちょうどふたつ必要だ。ひとつはスタート地点として、もうひとつはゴール地点としてである。

オイラーは、次数を数に置きかえることで証明を行った。彼の証明は非常に複雑だったが、今日ではずっと簡単に証明できる。

どこへ向かうのか？

オイラーの解答、あるいは解答が存在しないという証明は、巧妙だった。問題を線とノードに整理するこの方法はのちに、オイラーには思いもよらなかった分野で応用されるようになった。

第一に、数学者たちが同様の問題に取り組む新たな素晴らしい方法となり、適用しうる問題の範囲が急速に広がっていった。現在では、たとえば商品の輸送計画を立てるのに使われている。

その後、数学者たちは、ネットワーク、表面、配置を使って探索する数学世界の存在に気づきはじめた。その世界はトポロジーと呼ばれる分野で、科学者と数学者たちが多次元空間を探索しはじめるとともに、数学者たちは、トポロジーは複雑な方程式を解く道筋になることに気づきはじめた。トポロジーは現在でも高度な数学の最先端に位置している。故マリアム・ミルザハニ（168ページ参照）の近年の研究が示すとおりだ。オイラーが架けた橋は、はるかに遠くまで届いたわけだ。

1742年

●研究者……………………………
クリスティアン・ゴールドバッハ
●結論……………………………
ゴールドバッハの素数に関する有名な予想はまだ解決されていない。

偶数を素数に分けられるか？

腹が立つほど単純な定理

17世紀と18世紀の数学者にとって、数、さらにいえば整数は並外れた魅力を備えていた。それは純粋に知的好奇心の対象であって、何かの役に立つものではなかった。それにもかかわらず、当時のもっとも優れた頭脳を持つ人々は、数を使ったゲームにいろいろな方法で関心を向けていた。数論と呼ばれるようになるその分野は、いわば純粋な知的活動を具現化したものだ。ペンと紙があれば追究できる素晴らしいパズルなのだ。

数のパズルのプレーヤーのひとりがクリスティアン・ゴールドバッハで、彼は優秀だが飛びぬけて才能に恵まれていたわけではなかった。しかし単純かつ驚くべきある命題を考え出した。ゴールドバッハ予想として知られるこの命題は、証明するにせよ反証するにせよ、いかなる数学者にも歯が立たない。ゴールドバッハ予想は、数学におけるもっとも古い未解決問題のひとつだ。

数学界の中心

ゴールドバッハは1690年にケーニヒスベルクで生まれた。ケーニヒスベルクはプロイセンの小都市で、現在のロシアのカリーニングラードだが、そこでは18世紀の知的世界にとって特別な出来事が起こっていた。偉大な頭脳を次々と輩出したのだ。その中には才能ある哲学者イマヌエル・カント、そしておそらくさらに重要なのは、当時の著名な数学者で、数論の第一人者でもあるレオンハルト・オイラーがいる。

ゴールドバッハは、35歳でサンクトペテルブルクの帝国アカデミー数学教授兼歴史学者となり、ロシア宮廷と密接なかかわりを持った。３年後、彼はモスクワに赴任し皇帝ピョートル２世の家庭教師を務め、1742年からはロシア外務省の職員となった。数学者たちのあいだで自身の名を高めることになる発想の兆しを最初につかんだのは、彼が52歳のときだった。

ゴールドバッハ予想

1742年６月７日、ゴールドバッハは興奮とともにオイラーに書簡を送った。その中で彼は、素数に関する驚くべき発見（少なくともゴールドバッハはそう考えた）について記した。素数とは、１とその数自身以外の数では割り切れない数だ。ゴールドバッハは次のように書いた。

> ふたつの素数の合計で表せる５より大きい整数は、３つの素数の合計としても表せる。

つまり、２以上のすべての整数は、数個（または１個）の素数の足し算で表せるというのだ。

オイラーはこの発想に興奮し、２人の数学者は何度か書簡を通じて意見を交わした。オイラーは、ゴールドバッハ予想を決定的に逆転させた。現在ゴールドバッハ予想は、すべての偶数はふたつの素数に分割できるという内容になっている。

6 = 3+3

8 = 3+5

10 = 3+7 = 5+5

12 = 7+5

…

100 = 3+97 = 11+89 = 17+83 = 29+71 = 41+59 = 47+53

など、無限につづく。これは単純だが、大胆な主張だった。ゴールドバッハの手紙に書かれた日付は1742年６月30日で、偉大なるオイラーはゴールドバッハの予想は正しいとしたものの、証明はできなかった。それ以来、どの数学者も証明できていない。

ゴールドバッハ予想を証明する試み

２人のケーニヒスベルク人が文通をしているうちに、ゴールドバッハ予想には異なる発想による変形が加えられた。現在、ゴールドバッハ予想にはおもにふたつのバージョンが考えられている。「弱い」バージョンと、より包括的な「強い」バージョンだ。強いバージョンが証明されれば、弱いバージョンも証明されたことになる。「弱いゴールドバッハ予想」とは、本質的にもともとのゴールドバッハによる予想に近く、すべての奇数は3つ以内の素数の合計で表せるというものだ。そして「強いゴールドバッハ予想」とは、ほぼオイラーが主張したものと同じで、すべての偶数はふたつの素数の合計で表せるというものだ。

ゴールドバッハ予想は非常に単純な発想だが、発表以来ずっと数学者たちを悩ませてきた。あまりに単純ゆえに、この課題を解くには、数について根本的な真理を明らかにしなければならないと思わせるようなのだ。

アプローチのひとつは、ゴールドバッハ予想に適合しない数を見つけることだ。例外がひとつでも見つかれば、予想は誤りだということになる。2013年、コンピューターは4×10^{18}（4,000,000,000,000,000,000）までのすべての偶数について検証し、例外は発見されなかった。数字が大きいほど、可能な素数の組み合わせが増えるので、例外が見つかる可能性はほとんどない。

しかし数学者にとって「ほとんどありそうもない」は証明にはあたらない。さらに多くの人々が数学的な証明を追い求めてきた。その結果、予想のいくつかのバリエーションが実際に証明された。たとえば1930年に、当時のソビエト連邦の数学者レフ・シュニレルマンは、すべての整数は20個以内の素数の合計でつくれることを証明した。1937年、同じくソビエト連邦の数学者イヴァン・ヴィノグラードフは、十分大きな任意の奇数が3つの素数の和として表せることを証明した。

この謎への挑戦はつづき、ついに2000年、出版社フェイバー&フェイバー社が、「強いゴールドバッハ予想」を証明できた者に100万ドルの賞金を提供すると表明するまでに至った。2012年、オーストラリア系アメリカ人のテレンス・タオは、奇数が最大で5つの素数からつくられることを確認することで、「弱いゴールドバッハ予想」の証明に近づいた。しかし、「強いゴールドバッハ予想」の証明には誰も近づけていない。この問題は、もっとも賢明な数学的頭脳さえも打ち倒すべく定められているようだ。

流れを計算できるか？

1752年

●研究者

ダニエル・ベルヌーイ

●結論

ベルヌーイは、血液の流れを研究し、圧力が増すとなぜ速度が下がるのかを解明した。

流れを制御してエネルギーを節約する

ベルヌーイの定理、あるいはベルヌーイの方程式は、1730年ごろにスイスの数学者ダニエル・ベルヌーイによって発見された。特定の条件下で、流体の圧力と速度が反比例することを示すもので、流体に関するもっとも基本的な定理である。流体の速度が下がると圧力が上がり、その逆も同様だ。ベルヌーイの定理は、翼が飛行機を飛ばしつづける方法から、野球の投手が変化球を投げる方法まで、流体に関わる現象のすべてを理解する上で重要な役割を果たす。

ベルヌーイがこの定理を発見したのはわずか30歳のときだった。当時彼はロシアのサンクトペテルブルクで、女帝カトリーヌ1世の庇護のもとで研究していた。彼の助手は、こちらも優秀な若きスイスの数学者、レオンハルト・オイラーだった。ふたりは流体の数学に魅了された。

静脈と動脈

ベルヌーイの流体への関心は皮肉にも、有名な数学者であった父ヨハンによって、意志に反して医学を学ばされ、愛する数学から遠ざかっていたときに生まれた。ダニエルは医学研究のさなか、約1世紀前に発展したウィリアム・ハーヴェイの血液循環理論に魅了された。ベルヌーイの関心は生理学には向かわず、動脈や静脈を通る血液の流れや、血液の圧力や速度の変化に興味をそそられていた。医学研究のことは脇に置いて、彼は、嵐の中でも砂が安定して流れる航海用の砂時計を設計した。こ

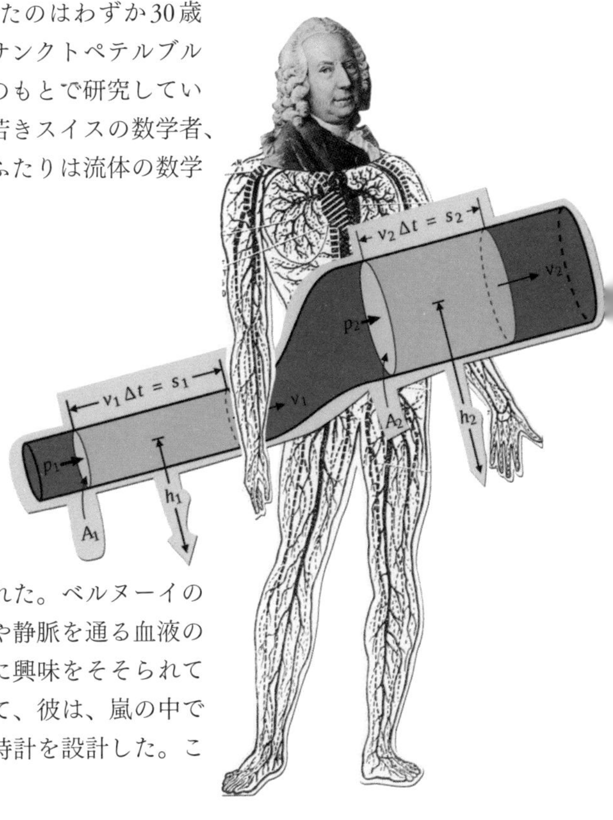

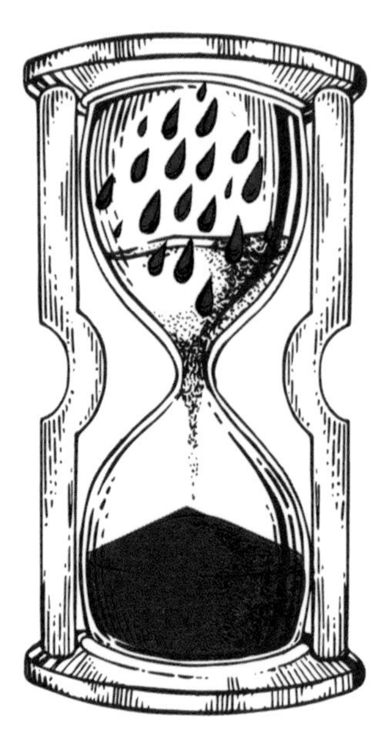

れは単純な発明だったが、フランス科学アカデミーの賞で一等になり、ロシアからの招聘を勝ち取った。砂時計のくびれた部分を通る砂の流れについて考えた経験は、血液のような流体の中の分子が、くびれ部分のような狭まった場所でどう振る舞うかを理解するのに役立った。

エネルギーの節約

もうひとつの重要な洞察は、父親と数学について語り合った10代のころ、ベルヌーイの心をつかんだ話題から生まれた。2人はエネルギーをめぐって議論した。ある系の中のエネルギーの総量は決して変わらないが、内部ではエネルギーの多様な変換が行われる。たとえばブランコに座っているとき、大きく振れるブランコの最高到達点では、その高さのために大きな位置エネルギーを持つ。ブランコが下がると位置エネルギーは失われるが、加速によって、動きのエネルギーである運動エネルギーが得られる。運動エネルギーによってブランコは反対側に大きく振れる。

オイラーとともに、ベルヌーイはさまざまな直径の管を通る水の流れの実験をはじめた。彼は、管が太い箇所で水がゆっくり流れることに気づいたが、狭くなれば水はすぐに加速する。エネルギー保存の法則の観点で見ると、この加速にはいかなるエネルギーの変化も伴っていない。

ベルヌーイは、流体が狭い場所を通過するとき、その運動エネルギーが速度とともに増加しているはずだと気づいた。しかし、この余分な運動エネルギーはどこから来るのだろうか。ブランコの場合と同様なら、位置エネルギーから発生しているはずで、位置エネルギーは、広い場所でのより高い圧力にかかわっていなければならない。気体は圧縮されやすいが、水は非圧縮性で、くびれた場所での状況は砂時計を流れる砂にむしろ近い。

しかし、狭い場所で加わるエネルギーおよび速度は、圧力の損失なしでは発生しないはずだ。くびれ部分が流体を狭め、速度が上がると、圧力は下がらなければならない。

それを証明するために、ベルヌーイは管の壁に穴を開け、両端が開いたガラスのストローを垂直に差し込んだ。ストローの中の水面がどれだけ上がったかで、圧力の上昇を可視化できる。細いガラス管を動脈に挿入するのはやや乱暴ではあるが、医師が血圧を測定する標準的な方法となり、ほぼ170年間つづいた。

狭められた流れ

ベルヌーイはこの単純な実験装置で、流体が狭い部分に入ると、流れが加速して圧力が低下することを証明した。これがベルヌーイの定理だ。20年ほど経って、オイラーがこの原理をベルヌーイの方程式として知られる方程式に定式化した。

$$\frac{v^2}{2} + gz + \frac{P}{\rho} = 定数$$

vは流体の速度、gは重力加速度、zは高さ、Pは任意の点における圧力、ρは流体全体の密度をさす。

ベルヌーイの定理が成立するのは、気体の法則が適用されるのが理想気体にのみであるように、層流と呼ばれる状態においてのみだ。層流は滑らかで規則的、かつ常に同じ速度で同じ方向に移動する。これに反する乱流ではベルヌーイの定理は機能しないが、層流であれば液体と気体の両方に当てはまる。

ベルヌーイの定理の核心は、流れを絞ると、流れが加速されて圧力が下がることだ。この現象は多くの状況で見られる。たとえば、航空機の曲面の翼の上を空気が流れると、速度が上がり、圧力が失われ、揚力が発生する。帆船の湾曲した帆についても同様だ。

ベルヌーイは自分の発想を公刊するまでにしばらく時間を置いた。父親の怒りを警戒したのだ。結局1737年、ベルヌーイは父への献辞とともに『流体力学（Hydrodynamica)』と題した本を刊行した。しかし父ヨハンは怒りを鎮めるどころか、自ら『水力学（Hydraulics)』という本を刊行して報復してきた。この本の内容の多くは息子の研究の盗用だった。この時点で、ベルヌーイは数学研究を断念せざるを得なかった。父親の圧力は、彼が流れに乗ってやり過ごすにはあまりに大きすぎたのだった。

1772年

● 研究者……………………………
ジョゼフ＝ルイ・ラグランジュ
● 結論……………………………
宇宙には、重力が数学的に完全に釣り合う特定の点がある。

宇宙のどこなら駐車できるか？

三体問題

ニュートンが重力を明らかにして以来、数学者たちは「三体問題」に魅了されてきた。もちろん三体と言っても、夫婦に加えて愛人が同居するような、火種の多い三体（夫、妻、愛人）の問題ではない。惑星や月のような、宇宙空間の3つの天体の重力がどのように影響し合うかについての話だ。

1687年、ニュートンは重力理論とともに、ふたつの物体がどのように相互に作用し、それぞれの重心を結ぶ直線上で互いにどう引き合うかを示した。運動する物体にはたらく、重力の反対の向きにかかる力を計算に入れれば、かなり単純に物体の動きを計算できる。しかし、3番目の物体を追加するとどうなるだろうか。たとえば、太陽、地球、月の三体なら……。

複雑な力学

この3番目の物体を追加したときの相互作用は驚異的に複雑で、もっとも優れた数学の専門家が3世紀半にわたって関心を寄せ、研究をつづけた現在になっても、問題は完全には解決されていない。

重力は相互にはたらく。太陽、月、地球はそれぞれ独自に運動しているが、それぞれが同時にほかの二体の重力の影響を受ける。その関係はそれぞれが宇宙空間を移動するあいだにも変動し、天体間の距離にも左右される。地球も月も完全な球形ではないため、さらにむずかしくなる。

多くの数学者たちは、問題を限定するため、月の運動を考察対象に選んだ。一方、スイスの数学者レオンハルト・オイラーは1760年に制限三体問題を導入した。この問題では、3番目の物体は非常に小さな粒子にすぎず、ほかの二体には重力の影響を及ぼさない。

ジョゼフ＝ルイ・ラグランジュはこの問題に魅了された。ラグランジュは、ベルリンのプロイセン科学アカデミーでの数学主任の職をオイラーから引き継いだ人物だ。彼はトリノに生まれ、父はフランスの元兵士で、かつては裕福だったが、投機に失敗して全財産を失っていた。ラグランジュは早くから頭角を現し、わずか17歳で自分が学ぶ大学の教授になった。

ラグランジュが数学においてキャリア最高の業績を上げたのはベルリン時代だ。その業績には、1788年の著書『解析力学』も含まれる。この本は、おそらく18世紀でもっとも偉大な数理物理学の成果といってよいだろう。この本でラグランジュは「変分法」を発展させた。力の方向性に注目するニュートン力学モデルを、仕事量とエネルギーに注目するモデルに完全に再定式化したのだ。これがラグランジュ力学である。ニュートン力学では力が作用する方向を知る必要があるが、ラグランジュ力学においてはエネルギー（方向に依存しない）を問題にするので、ニュートン力学よりはるかに粒子の運動が計算しやすいのだ。

ラグランジュ力学により、計算が簡単になるとともに、運動をより深く理解できるようになった。それは代数学の驚くべき達成だった。ラグランジュは、幾何学に頼らない解析学の力を強く信じていたので、論文に図表を用いることを断固として拒否していた。

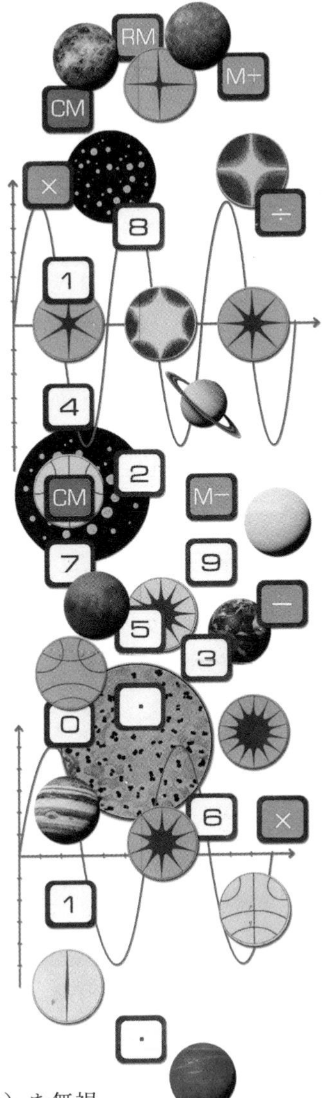

ラグランジュ点

『解析力学』の執筆中、ラグランジュはオイラーの制限三体問題に注目し、驚くべき発見をした。この発見は現在「ラグランジュ点」として知られている。

オイラーは三体問題の中でも、3番目の物体が非常に小さく、ほかのふたつの物体に重力の影響を与えない場合、どんな運動の軌道が得られるかという問題について研究をはじめた。ラグランジュはオイラーの研究を前に進め、軌道を円形にし、コリオリの力（惑星の回転によって生じる力）を無視することにした。問題をさらに制限したのだ。

ラグランジュ点は、太陽と地球、または地球と月などのふたつの物体の重力が、小さい物体の遠心力と正確に釣り合う、空間内の微小なある地点をさす。この相互作用は、宇宙に「駐車場」をつくりだす。小惑星や宇宙船などの小さな物体が、無期限にとどまれる場所だ。つまり衛星を設置する最適な場所でもある。太陽、地球、月の重力が作用する空間には5つのラグランジュ点があるが、恒星と惑星が相互作用する場所には同様の点が存在する。

宇宙の駐車場

最初の3つは1本の直線上にあり、オイラーが暫定的に位置を特定した。最初のL_1は太陽と地球を結ぶ線上にあり、地球から約150万キロメートル離れている。この地点には太陽・太陽圏観測機（SOHO）があり、常に太陽を観測している。L_2は地球から150万キロメートル、月の外周軌道を越えた反対方向にある。NASAのウィルキンソン・マイクロ波異方性探査機（WMAP）が、ビッグバンが残した宇宙背景放射を測定していた場所だ。L_3は太陽の後ろ、地球の反対側にある。太陽に隠されているため、科学者たちは現時点でこの地点の利用法を発見できていない。

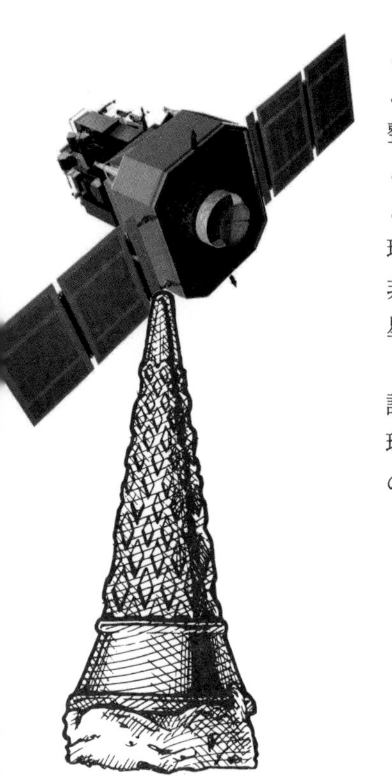

これら最初の3点はすべて非常に不安定で、そこにとどまっている衛星は、円錐の上でバランスを取っているようなものだ。衛星は絶えず位置を保つために細かな調整を行っている。さて、1772年にラグランジュは、L_4とL_5の新たな2点を発見した。これらの地点は、地球と太陽を結ぶ直線に対してある角度に位置していて、地球と太陽とともに正三角形を形成する。これらの2点は非常に安定しており、ギリシャ群やトロヤ群などの小惑星群や宇宙塵がここに溜まっている。

L_4とL_5が非常に安定しているため、人工コロニーの設置場所の候補になるという意見さえある。ある日、地球に耐えられなくなったら、われわれはこの点を目指すのかもしれない……。

球の上のアリは理解できるか？

ガウス曲率

1796年

●研究者……………………………
カール・フリードリヒ・ガウス

●結論……………………………
球のような曲面上にある三角形は、内角の和が180度にならない。

カール・フリードリヒ・ガウスは1777年、現在はドイツの都市になっているブラウンシュヴァイクで生まれた。彼の母親は文字が書けず、ガウスの生年月日を残していなかったが、復活祭の8日前の水曜日、つまりイースターの39日後だったことを覚えていた。ガウスはイースターの日付の計算式をつくり、自分の誕生日が4月30日にちがいないことを算出した。

1から100までの数を足す

ガウスについてもっとも有名な逸話は、おそらく7歳のとき、教師が授業で「100までのすべての数を合計せよ」という課題を出したときのものだ。1+2+3+4+…+100はいくつか。若きカール・フリードリヒは数秒で答えを出した。5,050だ。

おそらく彼は頭の中で、100までのすべての数を一行に並べ、同じ1から100までが今度は右から左に書かれている様子を想像したのだろう。次に、縦に並んでいる数を足した。

縦に並んでいる数すべての合計は、100 × 101 = 10,100になる。これは1から100までを2回足した数に等しい。したがって、元の質問に対する答えは10,100の半分、つまり5,050となる。ガウスはおそらく、頭の中でこの計算を瞬時に実行できるほど賢かった。あるいは、それ以前に同じパズルを解いたことがあったのだろう。

ガウス曲率

ユークリッド（34ページ参照）の幾何学では、すべてが平らな面の上にある。三角形の内角の和は常に180度だ。ただし、曲面ではこれは当てはまらない。たとえば地球を考えてみよう。本初子午線と西経90度の子午線は、北極点で直角に交わり、どちらも赤道と直角に交わる。したがって、この3本の線がつくる三角形の内角の和は、180度ではなく3×90度＝270度だ。ガウスはこの種の幾何学を「非ユークリッド幾何学」と呼んだ。

ガウス自らの説明では、大きな球の表面を這っているアリにとって、表面が平らなのか曲がっているのかを判別するのは容易ではないが、三角形を描いて内角の和が180度になるかどうかを確認すればいいのだという。

ブラウンシュヴァイク公爵はこのガウスのひらめきに感銘を受け、ガウスをゲッティンゲン大学に派遣した。そこでガウスは19歳のとき、数学界を揺るがす大発見をした。

正十七角形

ピエール・ド・フェルマーは、式$F = 2^x+1$において、$x = 2^n$（nは0を含む自然数）を満たす数の組み合わせについて研究していた。Fに当てはまる最初の4つの数は3、5、17、257で、すべて素数になる。これらの数はフェルマー素数と呼ばれる。

ガウスは、直定規とコンパスのみを使って、辺の数が2の累乗数か、フェルマー素数、またはフェルマー素数に2の累乗数をかけた数であるかぎり、どんな正多角形でも作図できることを発見した。つまり、正三角形、正五角形、正十七角形、さらには257辺の正多角形をも作図することができる。

この発見をきっかけに、ガウスは数学者として正規の職に就くことを決意し、自分の墓に正十七角形を刻むよう言い残した。しかし残念ながら、石工はこう言ったという。「この図形は複雑すぎて、ただの不格好な円のように見えるだろう」。

三角数

1、3、6、10、15、21といった数は三角数と呼ばれる。これらの数の点を並べると正三角形をつくることができるからだ。1796年7月10日、ガウスは日記にこのように書いた。「エウレカ！　num = Δ + Δ + Δ」。これは、すべての整数は3つ以内の三角数の和で表せるという発見を示している。

正三角形は点でできている

つまり、

5 = 3+1+1

7 = 6+1

27 = 21+6

などとなる。

素数の分布

ガウスは、ほかの多くの数学者と同じように、素数とその分布に魅了された。ある素数の次の素数を予測するのは非常に困難だが、素数の表を調べたガウスは、奇妙なパターンに気づいた。10,000を超えたあたりで、ある数Nを10倍するたびに、素数と素数のあいだにある素数でない数の個数の平均が2.3ずつ大きくなっていくのだ。ガウスには、素数が自然数の中でどう分布しているかという問題に、対数が潜んでいるように見えた。掛け算ではなく足し算だ（63ページを参照）。

ガウスは15歳のとき、この発見を表にし、eを底とする対数を使って、素数のさまざまな特徴を計算できることに気づいた。つまりN以下では、約ln(N)個の数のうちひとつは素数である。言いかえると、N以下のときの素数の個数は約$\frac{N}{\ln(N)}$なのだ。この関連性の発見は、数論における大きな進歩だった。

第5章 人命救助、論理と実験

1797年〜1899年

産業革命は巨大機械の時代だった。機械が大きくなるにつれて、科学研究の分野での実験の規模も大きくなっていった。これらの実験によって得られた結果を説明するために必要とされたのが、新たな数学だ。実際、熱伝導の実験から、フーリエによる正弦波に関する数学的な発見が生まれた。チャールズ・バベッジらは、新たな機械を数学研究に役立たせることができないかと夢見た。彼らの試みは、次の世紀の発明の基礎を築いた。

一方、この時代には抽象的な数学への関心も高まった。たとえば、幾何学的な対象を、粘土を変形させるように研究するトポロジーと呼ばれる分野もこの頃はじまった。しかし抽象的だからといって、何の役にも立たないというわけではない。ブールが生み出したブール代数は、論理学の問題解決に代数を使う。この上なく抽象的で実用性はなさそうに見えるが、現在使われているほぼすべての技術は、ブール代数の上に成り立っているのだ。

1807年

● 関係する数学者
ジャン＝バティスト・フーリエ

● 結論
熱伝導を研究する中で、フーリエは、ある方程式を発明した。それは、今日もっとも広く利用される数学的な道具のひとつである。

いかに波は温室効果を招くか？

フーリエ変換

　ピアノの音を聞くとき、音は空中を伝わって耳まで届く。空気の圧縮と伸張が交互にくり返され、空気分子がくっつけられたり引き離されたりすることで音が移動するのだ。しかし、人は耳に風が吹きつけているとは感じない。聞こえるのは美しい音だけだ。耳の神経末端から脳までの構造が、空気の動きを可聴音に変えるのだ。

フーリエ変換

音波を音として出力するような変換は、宇宙のほぼ全域で起こって

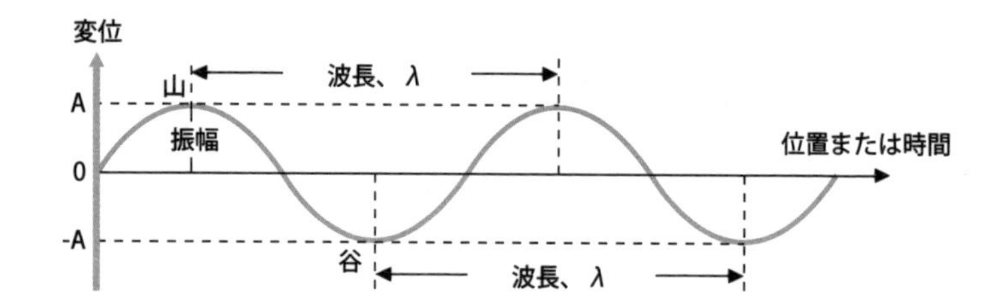

正弦波

いる。単純な反復する波の集まりは、エネルギーを広い範囲に伝える。数え切れないほどさまざまな運動が波として説明できるのだ。音だけではない。電磁気、熱、無線通信、湖面に浮かぶ波紋、株式市場の動き、まだまだある。フランスの数学者ジャン＝バティスト・フーリエによる1807年の興味深い分析のおかげで、音波を音楽に変換する耳のように、これらの波を捉える数学的な道具が得られた。フーリエ変換だ。フーリエ変換は、複雑な振動を、単純で、対称的な、正弦波と呼ばれる曲線の集まりに変換する。その応用範囲はきわめて広い。遠方の銀河からの放射を分析して天文学的知見を得たり、Web上のデジタル画像を圧縮したりするときなど、フーリエ変換は役に立つ。ノイズが交じる雑多なデータから真の信号を取り

出す素晴らしい数学的道具なのだ。

1768年にフランスのオセールで生まれたフーリエは、フランス革命の影響下で育ち、革命の意義を声高に訴える運動家だった。革命運動がもとで1795年に一時的に投獄されたが、すぐに地位を回復し、有名な学校エコール・ポリテクニークの主任に任命された。そして1798年、フーリエはナポレオンの科学顧問に任命され、エジプトに同行させられた。フーリエはエジプトの極度の暑さが気に入り、1801年にフランスに戻ってからも、部屋を途方もなく暑く保ち、いつも暖かい服に身を包んでいた。

その後ナポレオンによってグルノーブル知事に任命されたあと、フーリエは金属の棒を熱がどう伝わるかについての実験をはじめた。そして彼は1807年、最初の発見を論文「固体における熱伝導」として発表した。1822年には、さらに研究を進め、「熱の解析的理論」をまとめた。

熱のモデル化

さまざまな数学者が、三角関数（直角三角形の角の大きさと線分の長さの関係を表す関数）を使う前から熱の運動を数学モデルとして表した。正弦波も発見されていた。グラフは時間に対する強度の変化を表す。正弦波は振動または規則的な変位（音における空気分子の動きなど）を、対称的に上下する美しい曲線として示す。正弦は、変位の強度と一致する。フーリエが発見したのは、複雑な振動の振幅を、単純な正弦波に変換する方法だ。

波は周波数と振幅の複雑な絡み合い、つまりピッチと強度を持っている。音が耳に当たると、耳はそれらをふるいにかけて、理解できる音として伝えるための神経信号に変換する。フーリエ変換は、熱伝導方程式と呼ばれる基本的な偏微分方程式を使うことで、数学的にこの変換を行い、複雑な信号を正弦波に変換する。デジタル画像をjpeg形式に圧縮するたびに、このフーリエ変換が使われている。

フーリエが関心を持ったのは熱だけだったが、この手法が広い範囲に適用できることはすぐに明らかになった。45年後、著名な物理学者ケルビン卿は次のように書いている。

> フーリエの定理は、現代の解析学の最も美しい結果のひとつだが、それだけでなく、現代の物理学におけるほぼすべての難解な問題を考えるときに不可欠な手段も提供している。

温室効果

熱伝導に魅了され、その解明に取り組むうちにフーリエは新たな発見に導かれた。温室効果だ。フーリエは、1820年代、前世紀にオラス＝ベネディクト・ド・ソシュールが行った、いわゆる「熱箱」実験に興味を持った。熱箱は木製で、黒いコルクで裏打ちされ、日光にさらされる。ド・ソシュールは箱に3つの独立した部屋をつくり、中央の部屋で温度がもっとも高くなることを確かめた。

フーリエは、これが熱の吸収と放出の結果であることに気づいた。そこで彼は独自のガラス製熱箱を製作した。実験すると、時間が経つにつれて、箱の中の空気は周囲の空気よりも温かくなった。これは、ガラスが日光を通す一方、箱の中の熱を閉じ込めていることを意味する。フーリエは、地球でも同じことが起こっていると推測した。太陽光は大気に入って地表を温める。大気はガラスのように輝く太陽光を通し、またガラスのように、一定量の熱が宇宙空間に戻るのを防ぐ。フーリエのモデルは温室に似通っていたため、この現象は「温室効果」と呼ばれるようになった。

振動はなぜパターンを描くのか？

弾性体研究の第一歩

1815年

●関係する数学者……………………
マリー＝ソフィ・ジェルマン
●結論……………………………
ジェルマンは、さまざまな妨害を受けたにもかかわらず、弾性理論を大きく発展させた。

これまでに行われた実験の中で、もっとも美しいもののひとつは、ドイツの物理学者エルンスト・クラドニが行った振動板上の実験だ。クラドニは金属板の上に砂を散らし、バイオリンの弓ではじいた。すぐに砂が跳ね、クラドニ図形と呼ばれる素晴らしい模様が浮かび上がる。ほとんど魔法のようだ。

ナポレオンもまさに魔法だと思った。1808年、クラドニが彼の目の前で金属板をかき鳴らしたときだ。皇帝ナポレオンは、何が起こっているのかを説明できる数学者に、金1キロの賞金を与えると告げた。しかしほとんどの数学者は歯が立たず、大金を得ることができなかった。そこでひとりの若い女性、マリー＝ソフィ・ジェルマンが問題に全力で取り組み、金属が応力を受けて曲がったり跳ね返ったりする仕組みを解明し、弾性理論に大きな進歩をもたらした。

ケタ外れの女性

マリー＝ソフィ・ジェルマンは数学史の中でもっとも並外れて優れた人物のひとりだ。1776年、パリに生まれ、13歳のときにフランス革命を経験した。家に閉じ込められたソフィは、父親の書斎で見つけた数学の本に夢中になった。しかし数学に情熱を傾ける姿勢が女性にはふさわしくないと考えた両親は彼女の暖かい服と火を取りあげて、夜に勉強するのを止めさせた。ソフィは寝具の下で震えながら、両親が折れて許してくれるまでさらに熱心に本を読みつづけた。

ソフィ・ジェルマンは男性名オーギュスト・ル・ブランを名乗って名門エコール・ポリテクニークに入学したが、結局、学科主任を務めていた

偉大な数学者、ジョゼフ=ルイ・ラグランジュに身元を明かさなければならなくなった。ラグランジュは彼女の数学的な能力に感銘を受け、生涯にわたる後援者となった。

名誉

ジェルマンが困ったのは、女性ゆえに、学校の課程のいくつかを履修することが許されなかったことだ。そのため、天賦の才能を持ちながら、数学の基本的知識の一部を学ぶ機会を逃してしまった。その後オイラーの研究に触発され、1811年に弾性方程式をつくりあげ、クラドニ図形の賞の審査を行っているフランスの研究所に研究成果を提出した。しかし、唯一の応募者だったにもかかわらず、初歩的なミスがあったために受賞はできず、賞は翌年に繰り越された。

ラグランジュは、彼女の研究を助ける方程式を提案した。ジェルマンは、ラグランジュの方程式が実際にいくつかクラドニ図形を生み出すことを実証できていたものの、数学的な誤りを犯した。そんなわけで、2度目の挑戦でまたもや唯一の応募者だったジェルマンは賞を受けられず、「名誉ある言及」を受けただけだった。

その後、1815年に3回目の募集があり、ついにジェルマンは賞を授与された。しかし、ほろ苦い受賞だった。彼女はほかのすべての数学者が諦めた問題の答えを出し、ようやく賞をとったが、式典の直前に、賞の審査員のひとりであり、弾性理論に取り組んでいたシメオン・ポアソンがちょっとしたメモを送ってきたのだ。ジェルマンの論文には欠陥があり、数学的な厳密さが欠けているという指摘だった。

その後もジェルマンは弾性現象の研究をつづけ、1825年に論文を研究所に提出した。しかし、ポアソンらで構成される研究所の委員会はこれを無視し、55年のあいだ論文は行方不明になっていた。最終的に論文は1880年に発表され、ジェルマンが弾性研究の歴史において重要な一歩を踏み出していたことが明らかになった。

再評価

ジェルマンの知己のひとりだった数学者オーギュスタン=ルイ・コーシー（1789～1857年）は、ジェルマンの失われていた論文を読み、出版するように助言した。1822年、コーシーは、応力波が弾性材料をどのように伝わるかを示す、画期的な論文を書いた。この論文は、「連続体力学」という科学分野のはじまりを告げた。この分野では、材料を粒子の集合ではなく、連続した物体として扱う。ジェルマンの成果がコーシーに大きな影響を与えたとしても不思議ではない。

ジェルマンの研究はさらに、クラドニ図形が板に表れるのは、板上の振動しない部分だということを示した。バイオリンの弓が板を振動させると、砂は徐々にいくつかの振動しない領域に向かって揺れ動き、そこにとどまって溜まっていく。これらの振動しない領域の模様は、バイオリンの弓にこすられた板がわずかに曲がる、その曲がり方によって決まる。もちろん、板が曲がるのは1度だけではない。それは、ねじれた定規のように、前後にわずかに曲がって振動する。板のわずかな歪みは、板を通過する波として広がる振動といえる。

ジェルマンは、弾性体に伝わる波の形状に関する研究成果を総括して、次のように述べている。「弾性体の表面上の1点で、その点における表面の主曲率半径の総和と弾性は比例する」。最後の論文では、曲率と弾性に関する彼女の考えがまとめられ、弾性固体の平衡と運動に関する法則の発見につながった。この法則は、石鹼の泡の動きを観察すれば、実際に確認できる。

ジェルマンは晩年をフェルマーの最終定理（165ページ参照）の研究に費やした。彼女は部分的な証明のひとつを考え出し、ある種の素数も定義した。この素数は現在ソフィ・ジェルマン素数と呼ばれている。この研究は、1990年代におけるこの難問の最終的な解決に大きく貢献した。

1832年

● 関係する数学者……………………
エヴァリスト・ガロア
● 結論……………………………
ガロアは輝きに満ちた短い生涯のうちに、複雑な方程式を解くための強力な道具、群論を残した。

そこに解法はあるか？

方程式を解く新たな方法

エヴァリスト・ガロアの物語は、数学の歴史の中でもっとも刺激的だが、悲劇的でもある。彼は、複雑な方程式を解く上で、対称性がいかに大きな役割を果たすかを発見した。

ガロアは、ナポレオン帝国が崩壊して間もないフランスで育ち、10代のときは熱心な共和党員だった。才気にあふれ、想像力豊かな少年は、数学上のひらめきを紙くずに乱雑に書き残した。

天才の落書き

ガロアを担当した教師たちは、こうした粗雑なメモを見ても、ガロアが当時の数学における大発見を成しつつあるとは思いもしなかった。彼は複雑な方程式に魅了されていた。特に、当時の他の数学者たちと同じく、公式を使って複雑な方程式を解くことの限界に興味を持った。そして2次、3次、および4次方程式（2乗、3乗、4乗の項を持つ方程式）と違い、5次以上の方程式では代数的な解を与える公式がないことを証明した。

16歳になるまでに、ガロアはこれらの複雑な方程式を解くための革新的な方法を提示した。1829年から1831年のあいだに、フランス科学アカデミーに論文を3回提出したが、最初の2本は紛失され、3本目は査読者の一人、ソフィ・ジェルマンの論文を批判したのと同じ（前項を参照）シメオン・ポアソンに却下された。ポアソンは、ガロアの論文は理解不能で、大きな誤りをいくつも含んでいると述べた（その認識のほうが誤りだった）。

悲劇的な展開

このころ、7月革命によってブルボン王朝最後の王であるシャルル10世が亡命し、「市民王」ルイ・フィリップが王座についていた。当時、ガロアは父親の自殺という大きな悲劇に見舞われた。父の死と、度重なる論文却下に悩まされていたガロアは、共和党派の活動に身を投じた。彼は2度逮捕されたが、3度目にバスティーユ近くで弾丸を込めたライフル、拳銃、短剣を所持して逮捕されたのち刑務所に送られた。刑務所では一部の囚人たちにひどい扱いを受け、自殺を図るまで追いつめられた。

1832年4月に釈放されると、ガロアはステファニー゠フェリーチェ・デュ・モテルという少女と恋に落ちた。彼らは手紙を交わし、ガロアの数学メモにはステファニーについての走り書きが残されている。しかし、事態は暗転した。5月30日、ガロアは決闘に巻き込まれ、撃たれて即死したのだ。まもなく20歳になるところだった。

共通点

おそらく自らの死を見越して、ガロアは死の前夜、自分の考えを書き留めていた。彼の名が歴史に残るのは、こうして必死に書かれたメモのおかげだ。メモの中でガロアは、複雑な方程式を解きたいなら、代数的な手段に頼ってもむなしいだけで、対称性とパターンを見出せば解けると説明した。

たとえば、4の平方根とはなんだろうか。答えは2、ただし-2でもありうる。ふたつの答えは異なっているが、これらの数には対称性がある。2の符号を変えれば-2になるのだ。ガロアは、解を見つけるために物事をばらばらにするのではなく、代わりに「群」を操作し、解を並べ替える（置換する）方法を考察して、突破口を開いた。

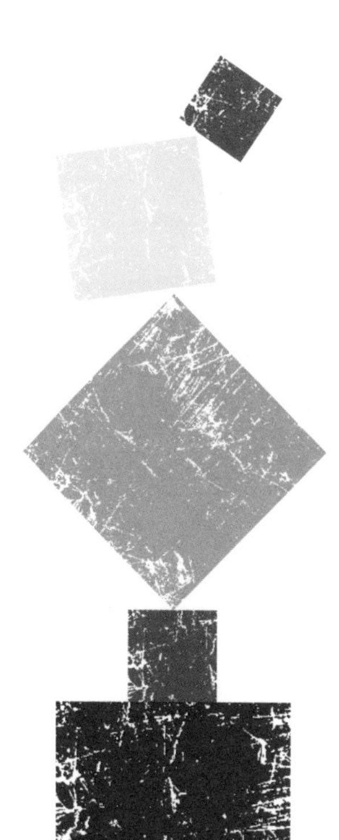

対称性の力

対称性という発想は非常に重要だった。たとえば、正方形は多くの対称性を持つ。90度回転させても、外観は変わらない。裏返しても同じだ。しかし、それを適当に回転させても、ある方向に傾いて、元と同じような概観が得られるとは限らない。ルービックキューブは、この種の回転対称を利用した有名なおもちゃだ。もちろん、ガロアは正方形や立方体ではなく方程式の群を扱っていたわけだが、考え方は同じだ。方程式を解く過程は、組み合わせをいじりながらルービックキューブを解くのに似てくる。それは驚くべき見事な洞察だった。

ガロアの発想の真の意味が理解されるまでに長い時間がかかった。20世紀になると群論は数学の主要分野となり、以来さまざまな種類の群が生まれた。

現代におよぶガロアの影響

2008年、数学の主要な賞のひとつであるアーベル賞が「代数学における、特に現代の群論の形成における深遠な業績」を挙げたジョン・グリッグス・トンプソン教授とジャック・ティッツ教授に贈られた。ガロアの業績を土台に、広い範囲の群について新たな知見を加えたということだ。

群論は素粒子の世界を調べる数学理論としても利用されるようになった。物理学者が異なる粒子や相互作用に共通する対称性を描き出すのに、群論が役に立つ。量子物理学は、ガロアの数学なしには成立不可能なのだ。

機械は対数表をつくれるか？

1837年

●関係する数学者
チャールズ・バベッジ、エイダ・ラブレス
●結論
バベッジが機械式計算機を考案したのをきっかけに、ラブレスが書いたとされるコードは、コンピュータープログラムの先駆けとなった。

最初の機械計算機

ケンブリッジ大学の学部生だったチャールズ・バベッジは、1810年、対数表を手に図書館で座っていた。そのとき彼は、この対数表の誤りを正す方法について、ある気づきを得た。

誤りをなくす機械

対数表を最初に作成したのは、ジョン・ネイピアだ（63ページ参照）。彼は何年もかけてこれら対数の値を計算し、何百もの人々がその計算結果を便利に使っていた。このような表をつくるときの問題は、人間が簡単に計算間違いを犯してしまうことだ。２の代わりに３と書いたり、数字を完全に書き落としたり……人間は間違いを犯すものだ。のちの人々がその表を使用すれば、膨大な誤りが引き起こされることになる。バスに乗り損ねるような小さな誤りだけではない。複雑な問題に対して、誤った答えが出てしまうのだ。

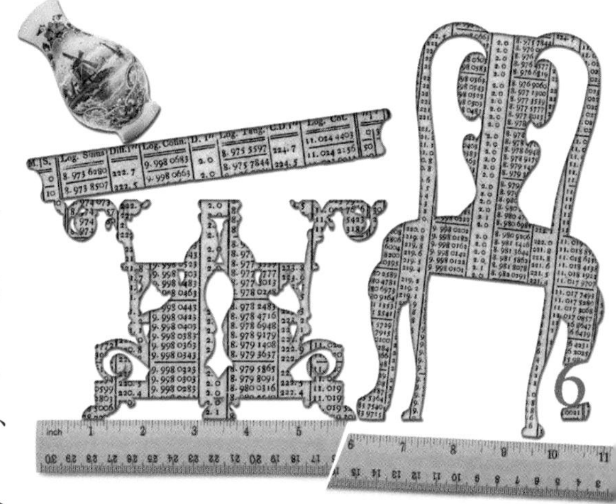

しかし機械を使って計算できるとしたら、もう誤りはない。バスを逃すこともない。この先問題が生じることもない。バベッジは、手はじめにすべての整数の２乗を計算しようと考えた。1×1＝1、2×2=4、3×3=9、4×4=16といった計算だ。最初は簡単だが、たとえば279×279の計算は大変だ。しかし、２乗の数の差に注目すると、1、3、5、7、9と連続する奇数になる。したがって、次の２乗の数を計算するには、次の奇数を足せばいい。5^2＝25の次は、11（６番目の奇数）を足して36になる。その次は13（７番目の奇数）を足して49だ。

階差機関

バベッジは多項式の値を計算できる機械を設計し、それを「階差機関」と呼んだ。1822年、バベッジが製作した単純な6輪型の階差機関は狙い通りに動作した。イギリス王立協会はこの成果に感銘を受け、天文学会は彼に史上初の金メダルを与えた。本格的な階差機関を構築するために、バベッジはかなりの資金を必要とした。彼は財務長官に1,500ポンドを出資しほしいと願い出た。バベッジにとってこの額は単なる手付金だったが、残念ながら政府はそれが全費用だと思っていた。しかし、少なくともバベッジは階差機関の製作に着手することはできた。

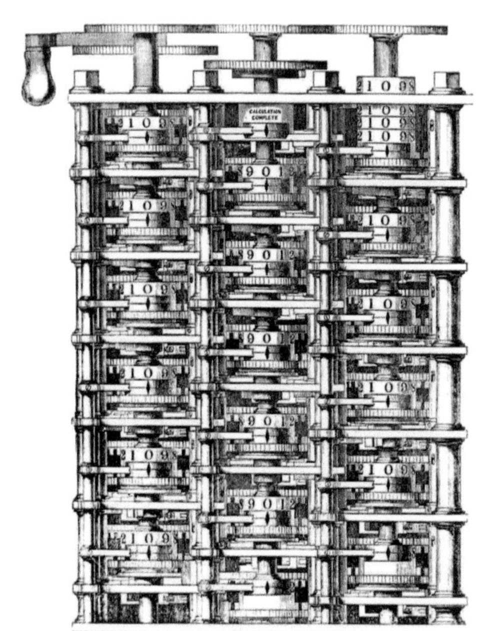

バベッジの階差機関

バベッジが自らの機械を完成させることはなかった。彼が要求した精度は、当時の技術水準をほとんど超えていたからだ。バベッジは技術者のジョセフ・クレメントとひどい口論を巻き起こし、ほかの夢を追いかけて何度も海外に渡った。最終的に、政府はバベッジに17,000ポンドという驚異的な額を出資したが、それでも十分ではなかった。バベッジはより多くの資金を要求しつづけた。

解析機関

さらに悪いことに、1820年代後半、まだ階差機関に関する議論がつづいていたころ、バベッジはさらに優れた機械である「解析機関」の発想を得た。プログラム可能な計算機だ。しかし、当然ながらどこからも出資を得られなかった。エイダ・ラブレスの協力がなければ、その機械は完全にバベッジの頭の中だけにとどまるところだった。

バベッジの解析機関は、実現していれば、パンチカードによる入出力を行うものだった。現在でいうプログラムだ。ラブレスは「ストア」つまりメモリ、および「ミル」つまり中央処理装置の概念を示し、その機械に何が実現できるかを思い描いた。この機械は独創的な発想を生むことはないが、科学の進歩に大いに役立ち、音楽の作曲にも役立つとラブレスは考えた。

エイダ・ラブレス

高名なロマン派の詩人、ジョージ・ゴードン（バイロン卿）の娘エイダ・ラブレスは、1833年にバベッジと出会い、計算機という発想に魅了された。1842年、ラブレスはバベッジがトリノで行った講義を翻訳し、バベッジの提案で自分のメモを追加した。彼女のメモは最終的に論文の3倍の長さに及び、バベッジの解析機関が持つ可能性を縦横無尽に論じている。

ラブレスは、解析機関が複雑な計算を実行するのにどんな指令を必要とするか、正確かつ詳細に説明した。彼女はそのような発想を書き留めた最初の人物であり、世界初のコンピュータープログラマーといえる。

最初のコンピュータープログラム

バベッジは結局、当初の目的を達成することはできなかった。かなり正確な対数表を発表したが、これらは手作業で計算し、編集されたものだった。階差機関と解析機関はどちらも製造されることなく、彼が思い描いたとおりの方法で機械が使用されるまでには、さらに100年かかった。バベッジは自身の発想が実を結んだ姿を目にすることはなかったが、彼とラブレスの成果は、20世紀と21世紀のコンピューター開発への道を開いた。コンピューターは現在、数学研究に欠かせない道具になっている。コンピューターのおかげで、より正確な結果が出せるようになっただけでない。バベッジが意図したように、数学者たちは面倒な計算に費やすはずだった膨大な時間を節約することにも成功した。

こうして人間の数学者たちは理論的な研究に集中して取り組めるようになった。たとえばGIMPS（Great Internet Mersenne Prime Search）は、最大の素数を探索するコンピューターのネットワークだ。バベッジとラブレスの成果がなければ、これらの素数は手作業で見つけるしかなかっただろう。素数を探すために時間を費やすのではなく、現代の数学者は自由に素数の性質を研究し、分布のパターンを探すことができるのだ。

1847年

●**関係する数学者**……………………
ジョージ・ブール
●**結論**……………………………
ブール代数は、数学の法則に従った論理を構築した。

思考の法則とは何か？

ブール代数の発明

1847年に、ほぼ無名のイギリスのリンカンシャー州リンカンのある学校の校長が、２人の数学者の論争に割りこみ、ある答えを示した。これはのちに論理代数と呼ばれる、世界についてのまったく新しい考え方だった。この理論がなければ、現代のコンピューター技術は開発できなかった。

もちろんこの校長は、並みの校長ではなかった。彼の名はジョージ・ブール。当時はまだただの田舎教師にすぎなかったが、数学界にたしかな足跡を刻みはじめていた。論理代数（ブール代数とも呼ばれる）に関するブールの研究は、のちにコーク大学の最初の数学教授の座と消えることのない名誉をもたらした。

数学の筋道

ブールがリンカンで得た発想をさらに発展させたのは、コークでのことだった。論文「論理学の数学的分析」で述べた内容を、本格的な理論に発展させたのだ。その成果をまとめた論文は、一般に「思考の法則」（1854年）と呼ばれる。ブールは、あらゆる論理的な議論に適用できる仕組みを、代数を使ってつくろうと考えた。

論理を数学的に考えようという発想は、前世紀の前半に生まれ、徐々に成長してきていた。だが、膨らみつつあったつぼみを花開かせたのがブールだ。論理を体系化する試みには、何千年にもわたる歴史がある。特筆すべき貢献をしたのはアリストテレスだ。アリストテレスは著書に、有名な三段論法を記している。三段論法では、ふたつの仮定（または「前提」）を組み合わせて結論を導く。たとえば次のようなものだ。すべての鳥は卵を産む（大前提）。鶏は鳥だ（小前提）。したがって鶏は卵を産む（結論）。

新たな論理

ブールには、数学も論理と同様の働きを持っていることがわかっていた。つまりブールの発想は、哲学で使われる論理を再構成して、数学と同じようにすっきりと厳密に表現できるようにすることだった。ブールの目的は、包括的な思考の体系を構築することだった。それを数学の幅広い範囲、たとえば数値を扱う問題にも適用したいと考えた。

ブールのもともとの手法は、足し算や引き算などの数学の演算を、同じ役割を持つ単純な単語に置き換えて示すことだったが、推論の各段階にも応用できた。やがてブールは、前提を、XやYのような単純な代数記号で表し、すべての関係をAND、OR、NOTの3つに整理できることに気づいた。

たとえば、XとYがそれぞれ集合だとすると、ふたつの集合に共通する要素の集合はX AND Yと表す。これは算術記号でいうと$X \times Y$またはXYに相当し、共通部分と呼ぶ。XとYのどちらかに属する要素はX OR Yと表し、これは算術記号でいう$X+Y$で、和集合と呼ばれる。

Xが緑色のものの集合、Yが丸いものの集合を表すとしよう。その共通部分は$X \times Y$またはXYと表す。XYは緑色で丸いものだ。また、緑色で丸いものは、丸くて緑色のものでもあるわけで、$XY=YX$といえる。すべてのXがYでもある場合、$XY=X$、さらに$XX=X$、すなわち$X^2=X$が成立する。最後の式は明らかに算術では成り立たないとされるが、ブールの論理においては問題ない。

同様に、集合がそれぞれ男性（X）と女性（Y）のように互いに排反である場合は、任意の人は$X+Y$の要素となる。もちろん、$X+Y=Y+X$も成り立つ。

さらに新たな集合として、フランス人（Z）を付け加えてみよう。このとき$Z(X+Y)=ZY+ZX$である。つまり、フランス人の男性と女性は、フランス人男性とフランス人女性と同じことだ。Z（フランス人）にフランス人女性（Y）が含まれるから、女性を除くすべてのフランス人は、Z NOT Y、または$Z-Y$と表せる。

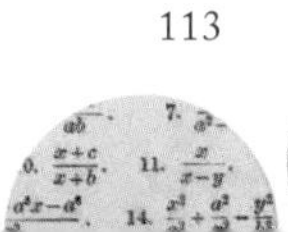

ブールのゲーム

驚くべきことに、言語にも数学との単純な関係があった。一見して明らかに思えるかもしれないが、それでもブール以前にこのことに注目した人間はいなかった。それはまさに天才的なひらめきだった。しかし当時すでにブールの才能が認められていたとはいえ、すぐれた洞察によって生み出された発想が、どれほど広い範囲で役に立つかが明らかになるには数十年かかった。ブールは、すべての発想を非常にすっきりとした算術に変換しただけでなく、それらを検証する方法もつくり上げた。彼はアイルランドでひっそりと暮らしながら、ほかの数学分野でも大きな足跡を残したが、ブール代数に勝るものはない。

ブールの死後70年ほど、彼の研究成果のほとんどは影に隠れてしまっていた。再びブールに光を当てたのは、1930年代、ベル研究所に勤めていた若きクロード・シャノンだ。シャノンは、長距離電話での雑音を減らしながらも重要な情報を確実に送る方法を探していた。彼はブールの成果がコンピューター時代のはじまりを告げる天才の閃光であることに触発され、すべての情報を１と０（２進数）で表した。こうして情報工学の基礎が打ち立てられた。

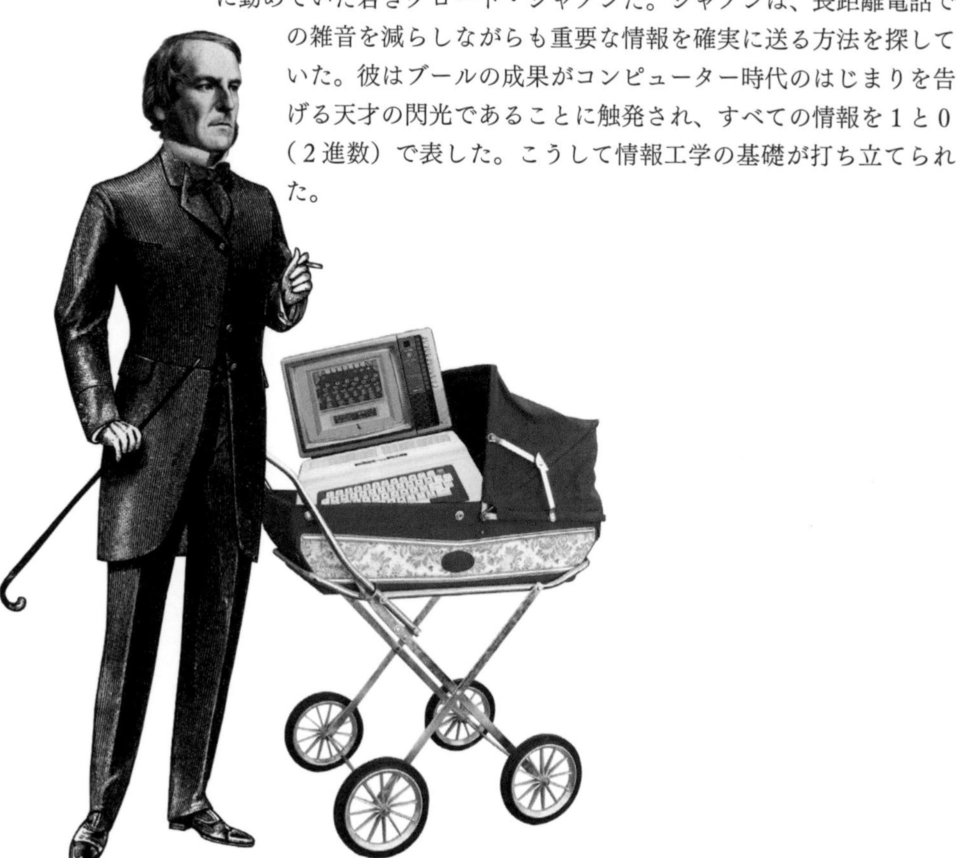

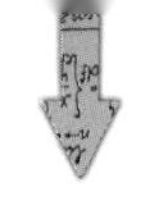

統計学は命を救えるか？

1856年

●関係する数学者……………………
フローレンス・ナイチンゲール
●結論……………………………………
病院の状況を改善するために統計が使われ、その結果多くの命が救われた。

統計分析と医療改革

大学教育から女性が排除されていた時代のイギリスで、フローレンス・ナイチンゲールは、先進的な家庭のもと、高水準の教育を受けた。彼女が情熱をかたむけて学んだのは、数学、特に統計学だ。彼女は9歳で家庭菜園の農産物の詳細な記録をつけていた。ナイチンゲールはチャールズ・バベッジ（109ページ参照）など当時の主な知識人の面識を得て、統計学の新たな領域に触れた。

ビクトリア朝時代、印刷と通信技術が発展し、「ビッグデータ」の収集やその分析が可能になった。新しいデータを手間なく収集するには、データを完全に理解し、データ内のパターンを識別する、新たな数学が必要だった。

ナイチンゲールは、データを表す新しい方法として棒グラフと円グラフに注目し、そして社会問題の調査にデータを使用するという新たな試みをはじめた。彼女は、定量的な証拠によって、政策、特に公衆衛生に関わる政策を変えられるかを模索したのだ。その頃、人道主義者たちが、女性に看護師として働くよう呼びかけているのを知った。彼女が属する階級の女性が看護師の職に就くのは珍しかった。しかし、彼女にとって看護師は自分の考えを実地に試す完璧な職業だった。1853年、彼女はハーレー通りにある婦人科病院の無給の看護師になった。翌年3月、クリミア戦争が勃発したのだ。

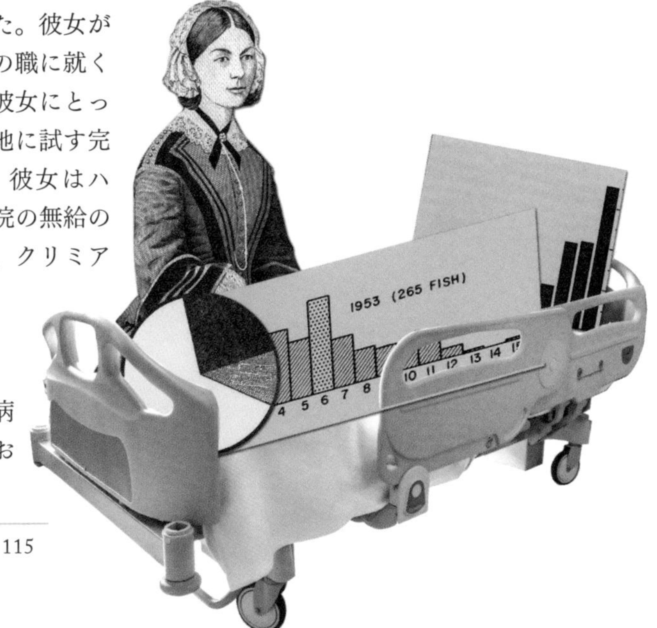

衛生改革

戦争中、死者の大部分は病気によるもので、死亡率はおそらく戦闘を原因とする負傷によるものの10倍に及んでいた。こうした病気の多くは予防可能だった。今日では、よりよい食生活や感染症の防止策、衛生状態の向上などに取り組めば、多くの命が救われるのは明らかだとわかっている。しかし当時の医学界と軍の上層部にとっては明らかではなかったようだ。

1854年11月、ナイチンゲールはコンスタンティノープルのスクタリにある陸軍病院に着任した。状況は最悪だった。最初の冬に4,000人を超える患者が亡くなり、彼女が後で書いたように「兵士たちは兵舎で死ぬために入隊したようなものだった」。状況の表面的なみすぼらしさではなく、ナイチンゲールはその根本的な原因、つまり管理上の混乱に気づいた。汚物と栄養失調に加えて、処置に一貫性がなく、患者には生き残るチャンスがほとんどなかったのだ。

ナイチンゲールはすぐに体系的にデータを収集しはじめた。標準化された医療記録、病気の一貫した分類、食事の正確な記録、幸運にも助かった患者の回復までの時間などだ。確かなデータに基づいた分析により、解決策も明らかになった。病院の徹底した「衛生改革」と看護要員の厳格な訓練だ。ナイチンゲールの在職期間中、60％だった死亡率は2％まで低下し、彼女がイギリスに英雄として帰還したときは、詩に「ランプ（光）を手にする貴婦人」と讃えられた。しかし彼女は、手にランプではなくデータを持つ女性でもあったのだ。

鶏頭図の説得力

データの全体像をつかむことが難しい場合もある。最初の困難は、確かな証拠を集めることだが、それにもまして難しいのがデータの分析結果をいかに表現するかである。ナイチンゲールは後者の困難を克服するために役立つグラフを考案した。それは、腰が重い政治家たちを突き動かすほど説得力のある、わかりやすいグラフだった。わざわざ新たなグラフをつくったのは、小手先の改革では満足できなかったからだ。それは「鶏のとさか」と呼ばれるグラフだ（次ページ参照）。

この図は豊富な情報を伝えている。扇型の領域は特定の月の死亡率を示し、図の全体の大きさがその年の状況を示す。衛生改革の効果が一目でわかる。グラフは3色に分けられるが、どの色の領域も扇形の中心まで含まれ、それぞれの色は死因のカテゴリーを示している。青は、予防可能な疾患による死亡者数を示す。赤は負傷による死亡者数、

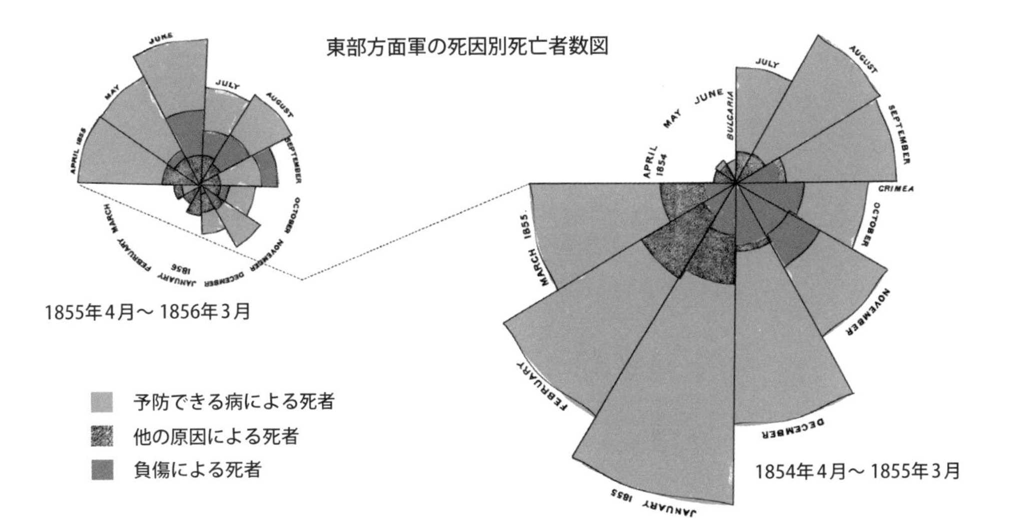

ナイチンゲールの
「鶏のとさか」
と呼ばれるグラフ

黒はその他の原因による死亡者数を表している。上のグラフを見れば負傷による死亡者数が少ないのは明らかだ。視覚的で、色分けされた図は、表の数値を比べるよりはるかに人の目を引き、かつ有益だ。実際、広範な医療改革につながった。

今日においては、こうしたデータは医療統計学者に批判されることもある。第一に、このデータは、公衆衛生改革のオープン試験(参加する医師や患者たちが、あらかじめどのカテゴリーに分けられるか知っている形式の試験。医師も患者も試験の内容を知らない二重盲険試験よりも信頼性が低いとされる）から得られたものだ。死亡率の低下がほかの理由、つまり天候の回復や蚊の数の減少などによるものではないとどうしてわかるのか。第二に、これらの死亡数は当時の基準でどれほど悪いものだったのか。ナイチンゲールはこの疑問に対処するため、当時のイギリスの死亡率を示すグラフを追加した。ビクトリア朝時代の病院は間違いなく危険であり、軍の病院はその中でも最悪だった。最後に、こんな疑問も生じるかもしれない。生存率は偶然に改善した可能性はないか。この結果は統計的に有意なのか？　この疑問も当然と思えるが、当時は証明できなかった。王立統計学会に女性として初めて選出されたとき、ナイチンゲールはこの証明が可能になるよう、統計のさらなる進歩の必要性を主張したのだった。

1858年

● **関係する数学者**
アウグスト・メビウス、ベネディクト・リスティング
● **結論**
単純な形のメビウスの帯が、図形に関する数学に革命をもたらした。

辺は何本、境界はいくつ？

トポロジーの誕生

メビウスの帯は、細い帯状の紙を半周ねじってから両端を貼り付けるだけでできる輪だ。この形は、単純な形だが数学の大きな一分野をなすトポロジーをつくり上げることになった。トポロジーは、曲げられ、ねじれ、しわくちゃにされた図形や表面の特徴を研究する分野だ。

メビウスの帯

メビウスの帯には、境界が１本、辺が１本だけしかない。手首を通して、リストバンドのように身に着けることができるが、リストバンドには境界が２本に、辺が２本ある。メビウスの帯の場合、ねじれが入っているために、リストバンドとはまったく異なる特徴が生まれる。メビウスの帯の端に沿って指を滑らせてみよう。２周したらスタート位置に戻ってしまうはずだ。境界は１本しかないのだ。ありえない形を描いたことで有名な芸術家、マウリッツ・コルネリス・エッシャーは、アリがメビウスの帯の上を這い回るスケッチを描いた。アリが無限の旅をしているように見える不思議な作品だ。

メビウスの帯を何かの象徴と考える人もいる。「わたしたちの一生はメビウスの帯だ」とジョイス・キャロル・オーツは書いた。「悲劇と驚きが同時に起こる。わたしたちの運命は無限にくり返される」。

実は、ハサミでメビウスの帯を切ると、興味深い効果を生み出すことができる。帯の中心で切り開くと、ふたつの帯ではなく、２回ひねったひとつの大きな輪になるのだ。ただし、一方の縁から３分の１の位置に引いた線に沿って切ると、ふたつの輪ができる。ひとつは元の帯と長さが等しい太い輪、もうひとつは細くて２倍の長さの輪だ。もちろんふたつの輪はつながっている。

メビウスの帯はもともと、1850年代にドイツの数学者ヨハン・ベネディクト・リスティングとアウグスト・メビウスによって、それぞれ独自に発明されたものだ。この発明をきっかけにトポロジーが生まれたのだが、ふたりとも偉大なドイツの数学者カール・フリードリヒ・ガウスのもとで学ぶ学生だったからだ。もしかするとガウスが帯を発明し、双方の学生にその発想を伝えたのかもしれない。

トポロジーの誕生

規則的で、測定できる辺を持つ図形以外を扱うことはタブーだった。さかのぼって1735年、レオンハルト・オイラーがケーニヒスベルク橋の問題を解決した。オイラーはこのとき橋の長さなどを測定するのではなく、点と点のつながり方だけに着目して問題を解いた。これがトポロジーの先駆けだった。しかし当時この発見は、大きな何かのはじまりとは捉えられなかった。その後、ガウスはトポロジーの多くの基礎をつくったが、嘲笑を恐れて完全にそれらを隠した。

ガウスのトポロジー研究を引き継いだのが、リスティングとメビウスだった。つまり、メビウスの帯はふたりの学生が、より広大なトポロジー研究の一部として生み出したものだ。実際、リスティングはギリシャ語のトポス（場所）から「トポロジー」という言葉をつくり出した。この帯は「1本の辺と1本の縁で3次元図形をつくることは可能か？」という疑問への回答だった。

アウグスト・メビウスは多面体、つまり多くの面を持つ立体を研究していた。オイラーは1750年にゴールドバッハへの手紙の中で多面体の一般式$v-e+f=2$を記した。vは多面体の頂点の数、eは辺の数、fは面の数だ。1813年、スイスの数学者シモン・アントワーヌ・ジャン・ルイイリエは、オイラーの公式が穴のある立体では成り立たないにことに気づいた。そこで、g個の穴がある立体について示す$v-e+f=2-2g$という新たな式を示した。

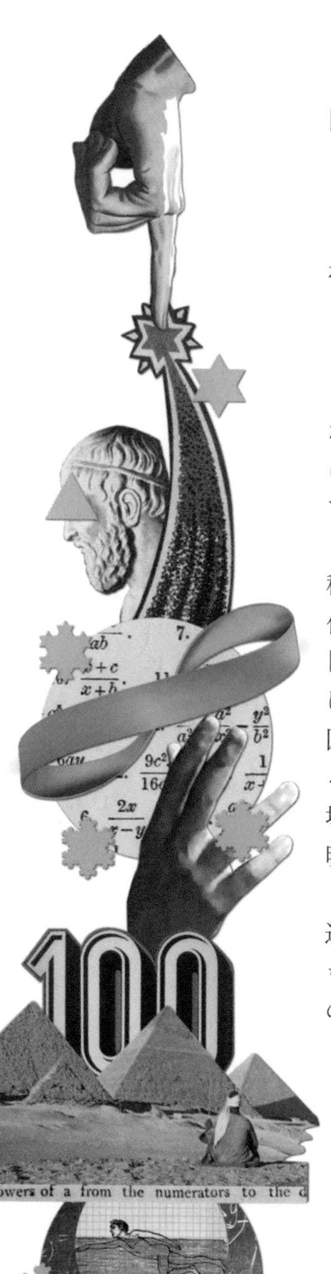

これこそメビウスが注目したものだった。では、この穴の問題に戻ろう。

立体に開いた穴

トポロジーの発見以来、この分野の研究者は、メビウスの帯が図形の深い理解にいかに役立つかを学んできた。たとえば穴の数に着目すると、トポロジー図形を「種数」で分類できる。飴玉のような穴のない形は種数0。コーヒーカップとドーナツはどちらも種数1。どちらの物体にも穴がひとつしかなく、理論的にはカップを伸ばして曲げただけでドーナツに変形できる（カップが紙粘土のような伸び縮みできる素材でできていると想像しよう）。

メビウスの帯とリストバンドのどちらも穴がひとつなので、種数だけではそれらを区別できない。区別するには、「向き付け可能性」と呼ばれる別の指標が必要だ。リストバンドが「向き付け可能」であるのに対し、メビウスの帯は「向き付け不可能」である。あなた（またはアリ）が向き付け可能な図形の表面をぐるっと一周するとき、同じ向きを向いて終わる。ところがメビウスの帯のように向き付け不可能な表面の場合、帯の中心線に沿ってぐるっと一周すると、アリは鏡に映った像のように反転する。

メビウスの帯の発見につづき、トポロジーの研究は急速に進んだ。意外なことに、今ではトポロジーが自然界の理解にも役立つことが明らかになっている。たとえば、トポロジーの一分野である結び目の理論は、生物のDNAのらせん構造がどのようにほどけるかを理解する上で重要な役割を果たしている。物質の根本的な性質を説明するとされる弦理論にも結び目理論は深い関わりを持っている。

トポロジー分野では、今なお新たな数学的発見がつづいている。2018年のフィールズ賞は、トポロジーを数論などのほかの分野と統合する研究を行った、アクシェイ・ヴェンカテシュに与えられた。

どの円に含まれるのか？

1881年

●関係する数学者……………………
ジョン・ベン
●結論…………………………………
ベン図は単なるグラフ以上のものだ。

ベン図

1881年にジョン・ベンによって作成されたベン図ほど、世の中に浸透している数学の発想の例はない。ベン図は、ものごとを視覚的にグループ化したり、グループ同士の重なりを示す非常に便利な方法だ。どうすれば誰かとデートできるのかにも、素粒子に関することにも使える。イギリスの数学者で、論理学の教授だったジョン・ベンは、この図について謙虚にも「命題と推論の視覚的かつ機械的な表現について」と題した地味な論文であっさりと示した。しかし、その後この図に何が起こるかを知っていれば、ずいぶん当惑しただろう。

今日、ベン図の使用範囲は数学をはるかに超えて広がっているが、ベンはもともと純粋な数学ツールとしてこの図を考え出した。それは当時最先端の数学思想にも合致した。当時、AND、OR、NOT接続を提示した、ブールによるブール代数（112ページ参照）の登場とともに、記号論理学が数学界を席巻していた。同じように流行していたのが、1870年代半ばにゲオルク・カントールとリヒャルト・デーデキントの画期的な研究によって発展した集合論だった。

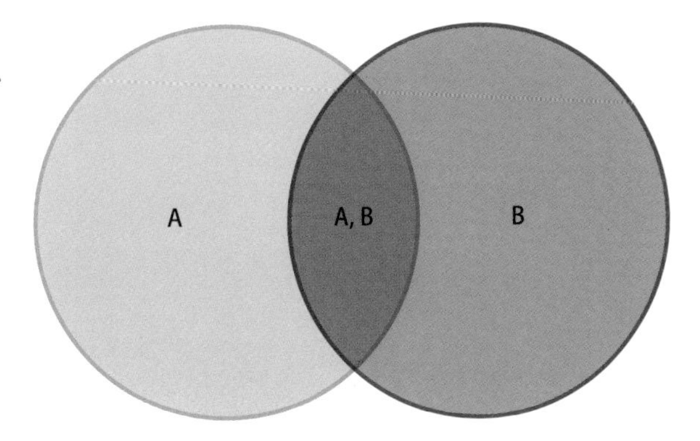

論理系

ベンは、ベン図を使って、数学的な論理体系を表現したいと考えていた。ベン図で扱うのは、たとえば生物の種類など、何か共通する性質を持つものの集合だ。各集合に円が割り当てられ、その円どうしに重なりがあるとしよう(円はかなり大雑把でいい。楕円でも構わない)。

集合に含まれるものは「要素」と呼ばれ、円の中に置かれる。両方の集合に属する要素は、円が重なっている領域に置かれる。ひとつの円は、泳ぐ生きものの集合かもしれない。そこには魚が含まれる。もうひとつを陸上を歩く生きものの集合とすると、それは哺乳類を含む。その中でカワウソのように泳ぎも歩きもする生きものは、円が重なる領域に置かれる。

ベン図はグラフ表現としてすばらしいが、それだけにとどまらない。ベン図を使って形式論理を表すことができるのだ。この場合、円には論理変数（真か偽かが定まっている事柄）が要素として含まれる。ふたつの円からなるベン図で、「すべてのAはBである」「A以外はBである」「一部のAはBである」「一部のAはBではない」などの命題を表すことができる。また、3つの円を含むベン図は、ふたつの前提と結論を持つ三段論法を表すことができる。たとえば、こんな具合だ。すべてのヘビは爬虫類だ。すべての爬虫類は変温動物だ。したがって、すべてのヘビは変温動物だ。

このように、ベンは物事を確実に分類するためだけでなく、論理的証明のためにベン図を使おうとした。重要なのは、ふつうX、Y、Zなどの大文字で表される集合名と、ふつう小文字のx_1、x_2、x_3などで示される各集合の要素を定めることだ。これらが適切に選択されていれば、図の重なりを使って証明することが可能になる。

古代の円

ベンの発想が特に独創的だったわけではない。カタロニアの僧侶ラモン・リュイは1200年代、論理的な関係をさまざまな方法で視覚的に表現した。ゴットフリート・ライプニッツは1600年代、ものを分類するために円を使ってはどうかと述べている。

その後、1760年、スイスの数学者レオンハルト・オイラーは、円で対象物どうしの論理的な関係をどう表すかについて著書の中で記した。ベンは自身の論文で、オイラーのおかげでその発想にたどりついたことを認め「オイラー円」と呼んでいる。ベンはまた、このような用途の円がすでに知られていたことも認めている。しかし、実際にはベンの成果はこれらの例とはかなり異なっていた。たとえばオイラー円は、集合どうしの関係のみを示す。一方、ベン図はすべての関係を示しているのだ。

たとえば、ビール、低アルコール飲料、グルテンフリー飲料を表す図があるとする。ベン図なら、3つの重なり合う円で、これら3つの組み合わせを示せる。真ん中の3円とも重なっている部分は、低アルコールでグルテンフリーのビールである。実際にそのような飲み物が存在しなくても、ベン図はその存在の可能性を示せる。オイラーの図では、円の中に円がある状態しかなかった。たとえば、すべての低アルコール飲料がビールの場合、ビールの円の中に低アルコール飲料の円があるわけだ。しかし、これではすべてのあり得る関係を示すことはできない。

現代のベン図

ベン図は、集合論に不可欠で、確率研究にも役立つ。数学と論理学にとって真に強力なツールだ。ベン図は単純なように見えても、数の集合どうしの論理的な関係を明らかにすることができる。たとえばこの半世紀で、ベン図は素数研究に重要な役割を果たしている。グレイコード（1947年にベル社の技術者フランク・グレイが開発した、2進数の符号化法）とともに、2項係数、回転対称、回転ドアのアルゴリズムなどにも使われている。

平面のベン図ではふたつか3つの集合しか扱えないが、数学者たちは3次元またはそれ以上の次元のベン図をつくり、さらに多くの集合を扱うことに成功している。テッセラクト（立方体の4次元表現）を使用すると、対称的に交差する16個の集合を持つベン図をつくれる。そして、対称でなくてもいいなら、さらにずっと次元を高くすることもできる。ベン自身も、楕円、円を使って、最大6つの集合を持つ独創的なベン図をつくっている。

ベン図は数学をはるかに超えて役に立つ。学校教育の現場で、教師はベン図を使って、さまざまな発想の集合を比較したり対比したりしている。ほかにも広告から軍事計画まで至るところで使われている。ベン図は、思考を構造化する上で、これまで考え出されたもっとも単純かつ強力な方法のひとつだ。

1899年

●関係する数学者……………………
アンリ・ポアンカレ
●結論……………………………
ポアンカレが犯した誤りが、無秩序な系の理解に革命をもたらした。

なぜある種の系はカオスに陥るか？

可能性の陰にある数学

それは、明敏なるフランスの数学者アンリ・ポアンカレの経歴における、素晴らしい瞬間のひとつになるはずだった。彼は、三体問題に関する自身の独創的で、驚異的でもある研究に対して、スウェーデン王オスカル2世による賞を受賞した。ポアンカレはこの研究でフランスの最高勲章であるレジオンドヌール勲章を授与され、フランス科学アカデミーにも選出された。

しかし、ポアンカレの受賞論文が出版される直前の1899年6月、若き編集者ラース・フラグメンが、この論文に大きな誤りが含まれていることを通知してきた。そしてポアンカレにとっておそろしいことに、フラグメンの指摘は正しかった。印刷した論文は回収して再印刷しなければならず、費用は賞金2,500スウェーデンクラウンよりずっと高いかもしれなかった。さらに悪いことに、このたいへん屈辱的な瞬間は衆目のもとに晒されてしまった。それでもポアンカレは、この災いから貴重な洞察を得た。すぐに自分の過ちを認め、どこで間違えたかを探しはじめたのだ。何年もの時間がかかったが、真摯な努力が実を結び、のちにカオス理論と呼ばれることになる新たな数学分野につながる発見に到達した。ただし、当時はその発見にそれほど発展性があるとは見られていなかった。

三体問題

ポアンカレは1885年に三体問題に取り組みはじめ、スウェーデン王が募集する賞を目指すことに決めた。三体問題は古くからある問題だ。宇宙で相互に作用する3つの物体の軌道が安定した軌道を持つことは、どうすれば証明または反証できるのか？　ふたつの物体についてはすでにずいぶん以前に解かれていたが、物体が3つになると非常に多くの変数がかかわるため、この問題は多くの優れた数学者の頭脳を打ち負かしていた（92ページ参照）。

そこで、ポアンカレは新たな発想でこの問題に取り組んだ。三角級数を使って質点の動きを追跡する代わりに、トポロジーの新しい技術を使って、系全体の運動状態を分析したのだ。この新しい方法には、曲線、曲面、および多様体（空間の貼り合わせからなる空間）の性質を研究する微分幾何学が含まれていた。微分幾何学は、たとえば「曲面上の２点間の最短経路は何か？」というような問いについて考える分野だ。ポアンカレは微分幾何学を使って、「位相空間」上の異なる視点から見た軌道を計算した。位相空間とは多次元であって、それゆえ系のあらゆる状態を同時に示せる空間だ。これは当時、最先端の数学だった。

ポアンカレはこうして大きな前進を遂げた。しかし、三体問題は依然として難しかった。彼の新しい方法の利点を示して具体的な結果を得るため、ポアンカレは制限三体問題に集中した。制限三体問題では、３番目の物体は非常に小さな粒子にすぎず、ほかの二体には重力の影響を及ぼさないという制限を付ける。問題の範囲をこのように制限することによって、ポアンカレはついに三体の安定した軌道を示すことができた。証明には、ふたつの向かい合う「漸近面」、つまり正の曲率と負の曲率の境界を示す曲面が含まれていた。安定性はふたつの漸近面の出会いがもたらすのだ。

受賞と失墜

賞の審査官は、これが完全な解決策ではないとしながらも、ポアンカレの工夫と成功を十分評価し、賞を授与することをためらわなかった。ポアンカレが強烈な一撃に見舞われるのはその後だ。彼は、ふたつの漸近面が出会って１枚の曲面になると想定していた。しかしポアンカレが検討し直してみたところ、面どうしは交差、再交差しうることがわかった。小さな誤りだったが、何回も誤りが掛け合わされた結果、最終的に誤りは大きくなった。ポアンカレの解決策は失敗していたのだ。

ポアンカレは自分の計算を慎重にたどり、18か月後、改訂版を公開した。この作業中、彼は自分がどこで間違えたかを発見した。初期条件のごくわずかな変化でも、軌道は大きく変わってしまうのだ。この事実からポアンカレは、ニュートン型の決定論的な系、すなわちすべての物体が運動の法則に従う宇宙においては、偶然が大きな役割を果たすことをすぐに理解した。

宇宙の運動法則によってすべての運動が支配されているのであれば、計算を適切に行って、未来の運動を完全に予測できるはずだ。しかしポアンカレは「非常に小さな要因、われわれが見逃すような要因が、見逃すことのできないかなり大きな効果を及ぼす。その効果は偶然による」と書いている。言い換えると、運動の初期条件のわずかな違い、非常に小さく偶然としかいえないような違いが、結果に大き

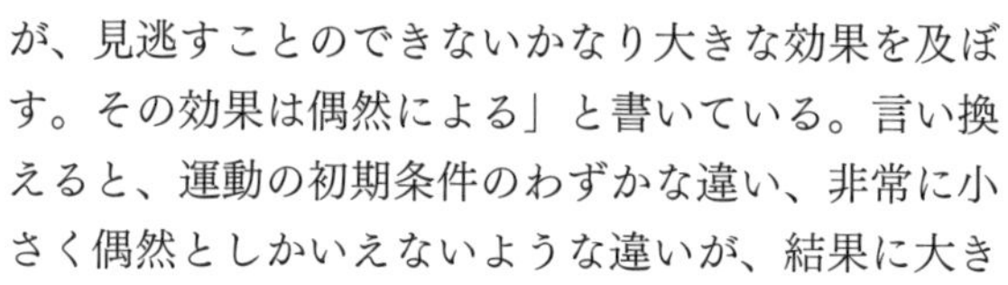

な影響を与える可能性があるのだ。彼はこう書き残している。

初期条件の小さな違いが、最終的な現象において非常に大きなものを生み出し得る。初期条件の小さな誤りが、最終的な現象においては巨大な誤りとなる。予測は不可能だ……。

偶然の理論

これこそが、ポアンカレが三体問題の計算において誤りを犯した理由だった。しかし、この発見は誤りの訂正をはるかに超える成果だった。ポアンカレはこれが大きな発見であると確信していた。彼は1899年に論文を書き、1907年に『偶然』を出版した。この著名な本『偶然』の中でポアンカレはカオスという言葉を用い、小さな偶然の要素が系に与える影響が、いかに予測しがたいかを述べた。男性と女性の細胞の出会いにおける数分の１ミリメートルの違いが歴史を変え、ナポレオンを生み出し、また凡人を生み出す可能性があると説明している。

ポアンカレはまた、偶然は決定論的な系とまったく相容れないわけではないと指摘している。たとえば天気について、彼は大気の不安定さの中で起こる偶然の結果だと捉えている。「人々は雨ごいをする」が、「そのくせ、日食を願うのはばかげていると考えている」とポアンカレは書いている。彼は次のように主張した。実際、天気は日食と同じくらい厳格に決定されている。しかし天気では偶然の要素があまりに大きいため、予測するのに十分な情報が得られないだけだ。そのような系はカオス的に見える。それでも宇宙は完全に運動法則に従っているのだ。

これは確かに重要な発見だったが、当時のほとんどの人々、おそらくポアンカレ自身も、単なる興味深い小話に過ぎないと考えていた。しかし半世紀後、バタフライ効果の発見とカオス理論の発展が、すべてを変えた（159ページ参照）。

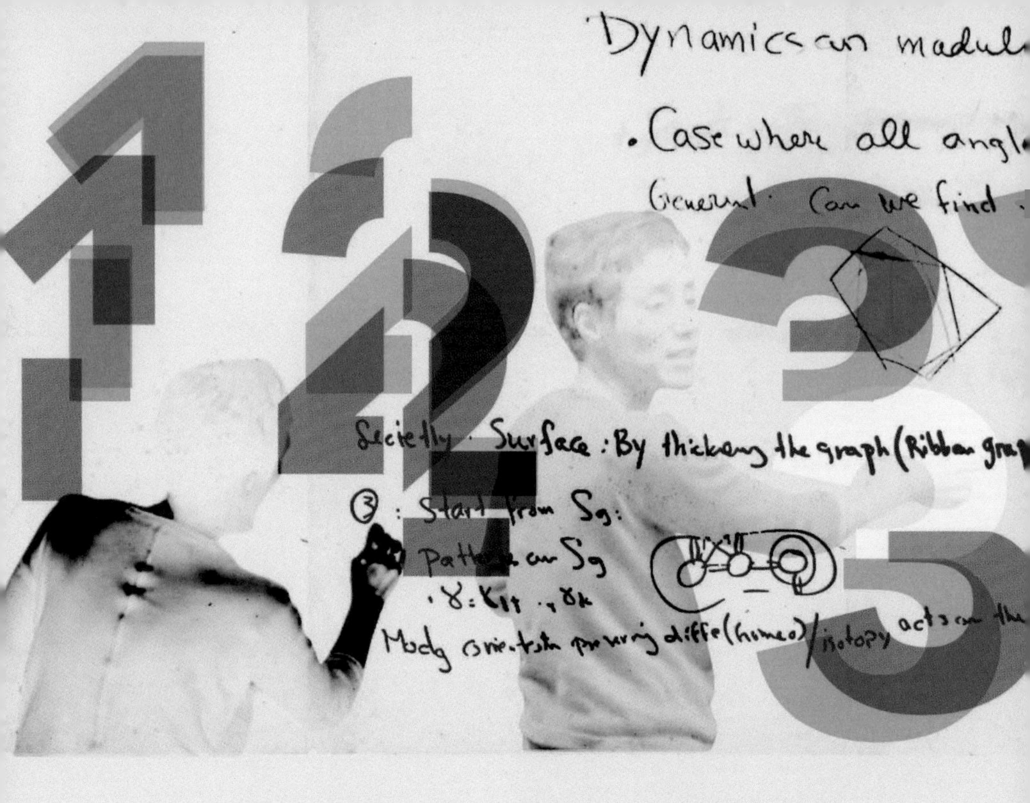

第6章　意識と宇宙の中で

1900年〜1949年

20世紀の初めには、応用数学と純粋数学の分断がはじまった。広く実用的な用途に使える、たとえばシャノンによるデジタル信号の発明に端を発するものと、一見普遍的な真理に思える、たとえばラマヌジャンによるπや素数に関する方程式をテーマにするようなものを、数学の名のもとに同一視することはますます困難になった。どちらも「数学」だが、異なる方向を向いているのもたしかだった。

2つの数学の分断がはっきりする一方、アメリカの数学者の数人が、応用数学の分野で飛躍的な進歩を成し遂げ、人々に強い衝撃を与えた。世界が大規模な紛争に突入していた頃だ。フォン・ノイマンのゲーム理論は、ジョン・ナッシュによって改良され、以来数十年間にわたり、経済理論の礎となった。一方、シャノンとウィーナーは、現実的な問題から着想を得て、今世紀の社会を支える技術の数学的基礎を築いた。

1913年

●関係する数学者……………………
エミール・ボレル
●結論…………………………………
十分な時間さえあれば、決して起こりそうもないことも起き得る。

サルの大群はシェイクスピア戯曲を書けるか？

無限のサル定理

「確率とは」と、アイルランドの数学者ジョージ・ブールは1854年に述べている。「部分的な知識に基づいた期待である。出来事の発生に影響を与えるすべての状況を完全に把握できていれば、期待は確定に変わる」。

つまり、出来事が起こるかどうか確実にはわからないとすれば、起こりそうもない出来事についても、発生しないと確信できるだろうか？　「起こりそうもない」はいつ「絶対に起こらない」に変わるのか？　これが、1世紀ほど前にフランスの数学者エミール・ボレルが興味をそそられた問題だった。「起こりそうもない(improbable)」と「絶対に起こらない(impossible)」が違うという感覚は、われわれの言語に根ざしている。「雷は同じ場所で2度落ちることはない」。しかし、やはり起こるかもしれないわけで、両者をどう区別すればよいのか。

偶然の略史

古代ギリシャ・ローマの時代にさかのぼると、多くの思想家は、世界がまったく偶然に集まった原子でできているのではないかと考えた。ギリシャの哲学者アリストテレスは、ありそうもないが、あり得ると考えた。ローマの学者キケロは、そんなことはありそうもないゆえに、起こらなかったと断言できると考えた。彼らのどちらもが正しかったことをわれわれは知っている。たしかに無数の原子が集まったが、それは偶然ではない。重力に引かれたのだ。何世紀にもわたって多くの数学者が「不可能」に注目して、その謎を突きとめようとした。たとえば、18世紀のフランスの哲学者ジャン・ダランベールは、母親からおまえは決して哲学者にならないと言われたという。ダランベールは、長く連続した試行で、起こる可能性と起こらない可能性が等しいといえるか、そしてそれを測定できるかについて検討した。たとえば200万回連続してコインを投げたとき、すべて表が出る可能性はあるだろうか、といった問題だ。

その100年後、もうひとりのフランス人、アントワーヌ＝オーギュスタン・クールノー（1801～1877年）は、円錐を逆立ちさせて先端でバランスをとって立ち続けられるかと考えた。サーカスの曲芸師や前衛芸術家が、一見不可能に思えるほど精妙にバランスをとって演技するようなものだ。クールノーは、物理的な確実性（バランスをとって立つ円錐のように、物理的に確実に起こり得る）と、実際的な確実性（ほぼ不可能であり、実際には起こり得ない）とを区別したいと考えた。彼は、現在クールノーの原則と呼ばれるものについて、次のように述べている。「非常に確率が低い出来事は、起こることがない。これが実際的な確実性だ」。

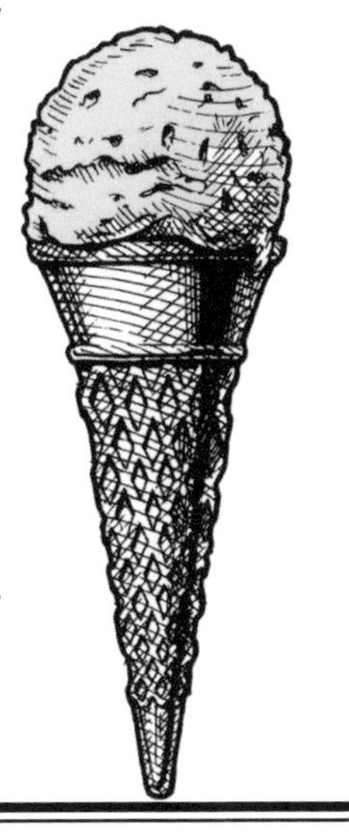

偶然独自の法則

エミール・ボレルは、1920年代にこの問題をめぐって一連の論文を書いた。彼は政治家でもあり、1925年、仲間の数学者ポール・パンルヴェが率いる政府で海軍大臣を務めた。ボレルの政治的経歴が、不可能性への関心にどれほど影響を与えたか、誰が知り得ただろう？

不可能性の概念を探究していたとき、ボレルは偶然独自の法則を思いついた。これは現在ボレルの法則として知られるが、本質的にはクールノーの原則と同じだ。ボレルは、数学的には不可能ではないものの、あらゆる意味で起こり得ない出来事があると主張した。もちろん、ある日、西から太陽が昇る可能性はある。しかし、不可能といっていいほど起こり得ない。

この法則を突き止めるために、ボレルは発生の可能性が非常に小さく、実際には起こり得ない出来事の可能性を測る尺度をつくった。その出来事が数学的に不可能だというわけではない。しかしあまりに起こりそうにないため、数学者はその出来事を不可能なものとして扱えるのだ。人間の尺度では、100万分の1未満の確率でしか起きない出来事は不可能だと主張できる。

サルの吟遊詩人

この発想がどのようにはたらくかを示すため、ボレルはタイプライターのキーを無作為に打つサルの写真を著書に掲載した。サルは最終的にシェイクスピア作品をタイプできるだろうか？　もちろんその可能性はものすごく低いが、無限の時間があれば（または無限の数のサルがいれば）数学的には必ず起こる。つまり、数学的に不可能ではないが、どう見ても不可能だといえる。以上から、ボレルの法則は一般に無限のサル定理とも呼ばれている。

シェイクスピア作品を生み出すサルという発想は時にユーモラスに、時には真剣な意図のもとに大衆文化の中で取り上げられた。2003年には、実際にサルで試すための助成金が、ある研究者たちに支給され、実験が行われた。デボンのペイントン動物園にいるクロザル6匹はぼんやりと作家の命ともいえるコンピューターを眺めていたが、ほとんどの場合、石でキーボードを叩いたり、おしっこをかけたりした。いずれにせよ、彼らは最終的に5ページ分、ほとんど「s」の文字を入力した。拒否の意思表示である。

2011年、プログラマーのジェシー・アンデルセンは、100万匹の仮想のサルのプログラムを作成した。このコンピューターザルの軍団は、1日あたり1800億の無作為な文字列を出し切った。驚いたことに、たった45日で、彼らは実際に作品を作り出した。しかしこの結果には多少のズルがあった。9文字の正しい文字列があれば、それを取り出し、それらを正しく並べ替えるようプログラムされていたからだ。

数学者たちは、シェイクスピアザルが実際には不可能であると言う。しかし、実際に不可能とは、絶対に不可能であることを意味するわけではない……。

エネルギーは不変か？

1918年

●**関係する数学者**……………………………
エミー・ネーター
●**結論**…………………………………………
アインシュタインの研究における大きな空白を埋めるため、最先端の代数が使われた。

宇宙を代数学で定義する

100年ほど前、ある数学者が、現代物理学を形づくる定理を発見した。それは非常に画期的な定理で、物質とエネルギーに関する新たな洞察を生み出す上で、今なお大きな役割を果たしている。その発見者は、ドイツの数学者エミー・ネーター（1882～1935年）だ。アインシュタインはネーターを「創造的な数学の天才」と称した。それにもかかわらず彼女は、専門家の学界の外ではほとんど知られていない。

この不十分な評価は、おそらく彼女の性別によるものだ。当時、女性数学者に対する偏見は根強く、ネーターは彼女の足を引っ張る障害にずっと直面していた。ゲッティンゲン大学で彼女はいくつもの偉大な研究成果を上げたが、大学当局は女性が数学の講義を行うのを許さず、4年間「ダフィット・ヒルベルトの助手」として教壇に立った。彼女の数学研究は最先端のものだったため、専門家以外には彼女の研究の意義がなかなか理解できなかった。

相対性の問題

1915年、アインシュタインは一般相対性理論を世界に発表した。それは非常に理解しにくい理論だったが、それでも数年後にネーターの定理が登場したおかげで、アインシュタインの理論に開いていた大きな穴がふさがれ、物理学の保存則に関する新たな洞察を深めることになった。

ニュートンの運動法則のひとつは、運動量保存則だ。横一列に並んだ金属球の両端の球だけが左右に振れる不思議な動きで目を楽しませてくれるニュートンのゆりかご（日本では「カチカチ玉」とも呼ばれる）は、運動量保存則を表す格好の例だ。ほかに角運動量保存則もある。スピンするスケーターが、腕を縮めると速度が上がるのも角運動量保存則が成り立っている証拠だ。一方、エネルギー保存則は、19世紀以来、自然のもっとも深遠な法則のひとつとして認識されている。

これは、どんな系においてもエネルギーの総量は常に変わらないという法則だ。ある形態から別の形態に変わることはあっても、総エネルギーは決して変化しない。この法則は非常に基本的であり、どんな物理理論でも無視できないとされた。
しかし、アインシュタインの理論においては事実上無視されていた。彼の理論にはエネルギー保存則の方程式が含まれていたが、優秀なドイツの数学者ダフィット・ヒルベルトとフェリックス・クラインが詳細に調べたところ、$x-x=0$とわざわざ書くのと同じくらい意味がないような箇所があった。アインシュタインの理論に誤りがあると言っていたわけではなく、エネルギー保存則に関する部分の数学に問題があると思われた。
ヒルベルトとクラインは、不変量の数学の専門家の助けが必要であることに気づいた。不変量とは、エネルギーの保存則におけるエネルギーのように、量が変わらないもののことだ。そして彼らはゲッティンゲンにいる同僚、エミー・ネーターに声をかけた。

どちらを見ようとも

ネーターは物理学にまったく興味がなく、エネルギー保存則の問題を純粋に数学的な問題として捉えていた。彼女はこの問題に、当時の最先端の数学である変換と対称性を用いて取り組んだ。変換とは、たとえば物体を拡大、回転、平行移動（場所のみを移して他に何も変えない）したときに何が起こるかについて考える分野である。一方、複雑な代数方程式を解くために対称性（類似した項の群）を使うという発想は、さらに1世紀前、ガロアによって導入された（106ページ参照）。ネーターの頭脳は、代数方程式を解くために使うのと同じように、対称性を使って保存則を探索しはじめた。
ほどなくネーターはふたつの定理に行き着いた。そのうち2番目の定理は、一般相対性理論が特殊な事例であることを示した。ヒルベルトとクラインが疑っていたとおりだ。エネルギーは、一般相対性理論のもとでは局所的に保存されないかもしれないが、宇宙全体では保存される。そして、真に画期的だったのは1番目の定理のほうだった。
ネーターの1番目の定理は、すべての保存則に共通する性質があることを示した。エネルギー、運動量、角運動量、そのほかすべてだ。すべてが対称性によってつながっているのだ。すべての保存則にはそれにかかわる対称性があり、その逆も成り立つ。ネーターの定理は、各保存則の基礎にある対称性を見つけるための方程式を提供する。エネルギー保存則には、時間の並進対称性、運動量保存則には、空間における平行移動の対称性がそれぞれ対応する。言い換えれば、これらの保存則は、物体がどちらの方向を向いても、時間をさかのぼっても同じだからこそ成り立つ。基本的な物理方程式は、空間や時間に左右されないのだ。

対称性の力

ネーターの論文「不変量の変分問題」は1918年7月23日に発表された。たとえばこのように考えてみよう。ビリヤードの球を、テーブルを横切るように打つと、球はまっすぐに進む。テーブルが平ら（不変）だからだ。テーブルが曲がっていれば違う動きになるだろう。

ネーターの画期的な論文以来、彼女の1番目の定理の影響力はますます大きくなっている。1970年代、物理学者はすべての既知の素粒子を、標準モデルと呼ばれる枠組みに収めた。これはネーターの定理によって組み上げられた枠組みで、対称性に依存する。対称性によってヒッグス粒子の存在が予測され、2012年に最終的に確認された。

驚くべきことに、今日の物理学者はネーターを保存則と対称性に関する定理の発見者として崇拝しているが、その一方、数学者は、ネーターを抽象代数学へ大きな貢献をした人物として記憶している。抽象代数学は、代数的構造の全体を理論的に研究する分野だ。エミー・ネーターは、間違いなく20世紀のもっとも偉大な数学的頭脳のひとりだった。

1918年

●関係する数学者……………………
シュリニヴァーサ・ラマヌジャン
●結論………………………………
独学の数学者は天才であり、数論を大きく飛躍させた。

退屈なナンバープレートのタクシー？

1,729と数論

1916年のある日、ケンブリッジ大学の数学教授ゴッドフレイ・ハロルド・ハーディは、ある療養所を訪ねた。彼の庇護のもとにある若きインド人にして、独学の数学の魔術師、シュリニヴァーサ・ラマヌジャンが患者としてそこに滞在していたからだ。「わたしは1,729番のナンバーをつけたタクシーに乗っていた」とのちにハーディは回想している。「そして、この番号はいささか退屈だと言った」。するとラマヌジャンは即座にこう返した。「いいえ、これは非常に興味深い数です。2通りの3乗の数の和で表せる最小の数ですから」。

ラマヌジャンは正しかった。

$1729=1^3+12^3=9^3+10^3$

実はフランスの数学者ベルナール・ド・ベシーが、はるか以前の1657年にこの事実を発見している。ハーディは友人を元気づけようとしたのかもしれない。1,729がどれほど興味深い数かを指摘するという誘惑に、友人が耐えられないとハーディにはわかっていたはずだ。

タクシーを呼ぶ

このエピソードが多くの人に知られると、何通りか（n通り）の3乗の数の和である最小数についての関心が高まり、この種の数は「タクシー数」と呼ばれた。以来、ほかのタクシー数の探索がはじまった。

ハーディ自身、同僚のエドワード・ライトとともに、すべての正の整数

nに対してタクシー数が存在することの証明に取り組んだ。その証明は、タクシー数を探索するコンピュータープログラムの基礎になった。理論的にはタクシー数は無限にあるが、実際には見つけにくい。コンピューターは3乗の数の和としてn通りに表される数をたくさん見つけられるが、その中の最小の数、つまり真のタクシー数を定めることができないからだ。1世紀以上にわたる探索の間に見つかっているのは、$n=6$までのタクシー数だ。

Ta(1)：2

Ta(2)：1,729（1657年、ド・ベシー）

Ta(3)：87,539,319（1957年、リーチ）

Ta(4)：6,963,472,309,248（1989年、E・ローゼンスティール、ダーディス、C・R・ローゼンスティール）

Ta(5)：48,988,659,276,962,496（1994年、ダーディス）

Ta(6)：24,153,319,581,254,312,065,344（2008年、ホラーバッハ）

次のタクシー数探索は、3乗の数の和として7通りに表される最小の数ということになる。

タクシーを補強する

一部の数学者たちはさらに研究を進めて、3乗の数の和として表せるほかの数を調べはじめた。「キャブタクシー数」は、負の数を3乗した数の和も含む。たとえば、$91=6^3-5^3=3^3+4^3$だ。これを発掘するのは非常に難しい。しかし、その努力がすべて無駄というわけではない。実際、その処理が非常に難しいからこそ、暗号化の手法としてプログラマーたちには魅力的に映る。たとえば銀行口座のコード番号を、ふたつの3乗の数の和で表してみよう。そうすれば、ハッカーが番号をふたつの3乗の数に分解するのはほぼ不可能だ。銀行のセキュリティについて、ラマヌジャンとハーディに感謝する日が来るかもしれない。

インドからの手紙

タクシー数は、ラマヌジャンとハーディの共同作業の一面にすぎない。ふたりの協力関係は、1913年1月、ハーディが突然の手紙を受け取ったことからはじまった。差出人は貧しいマドラス港湾当局事務所の職員、ラマヌジャンだった。ラマヌジャンは教授に、自分が取り

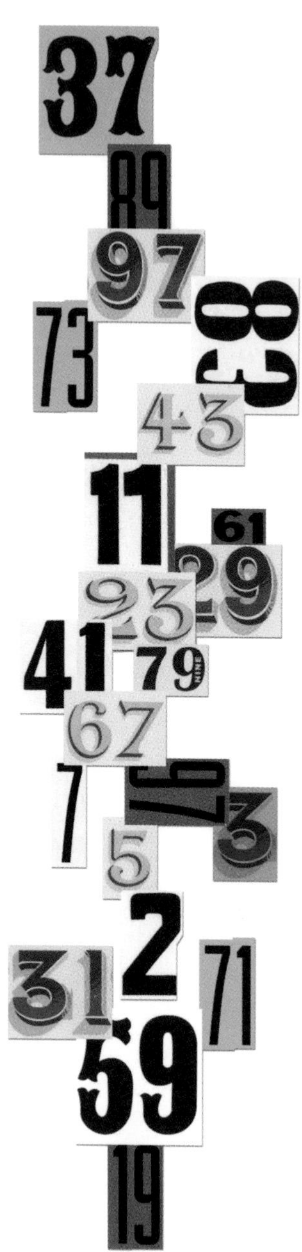

組んでいるいくつかの数学的な計算について、何か意見をもらえないかと控えめに訊ねた。

ハーディははじめ懐疑的だったが、送られてきたメモにざっと目を通すと、無限級数、積分、および素数に関する驚くほど複雑な式がいくつも目に付いた。手紙の中でラマヌジャンは、X未満のすべての素数の和に等しいXについての関数を発見したと主張していた。彼が正しければ、それは世紀の数学的進歩となる。しかし、完全に独学だったために、ラマヌジャンの議論の組み立て方がわかりにくく、ハーディはこれが天才の仕事なのか詐欺なのか判断できなかった。じっくり検討し、同僚とも話したあと、ハーディは彼が天才だと判断し、すぐにケンブリッジに留学するように勧める手紙を返信した。

のちにその関数についての証明に欠陥が含まれていることが判明したが、ラマヌジャンはまぎれもなく天才だった。つづく5年間で、ふたりの数学者は協力し合い、素数に関するすばらしい研究を生み出した。ハーディのもとで書かれたラマヌジャンのすべての論文では常に、合理的で、求められる水準を満たす証明が書かれていた。しかし、ラマヌジャンの私的な記録はかなり異なる。彼は厳密な証明の概念を持たなかった。彼にとって重要なのは答えだけだったのだ。

マスタースイッチ

ラマヌジャンは、自らマスター公式と呼ぶ式をつくった。彼の証明は、さまざまな方法の寄せ集めでわかりにくかったが、彼がこの公式を使って得たすべての結果は正しかったことが後に確かめられている。ラマヌジャンは、分割数（数をより小さな整数の和として表す方法）についてすばらしい研究を行い、半世紀後の代数幾何学の大きな進歩につながる予想を残した。

タクシー数に関する逸話は印象的だが、数学的創造性にあふれた精神が生み出したものの中で、もっとも創造性に乏しいともいえる。

勝つ最良の方法は？

1928年

●関係する数学者
ジョン・フォン・ノイマン
●結論
ゲーム理論は、自己利益を優先して考えるための数学的な指針だ。

ゲーム理論と数学的戦略

ゲーム理論は、ふたりかそれ以上のプレーヤーが勝利を争うゲームで、戦略の相互作用を数学的に研究する手法だ。その発案者はジョン・フォン・ノイマンである。彼はハンガリーからアメリカに渡った、たいへん優れた数学者で、のちにスタンリー・キューブリックの映画「博士の異常な愛情」に登場する、錯乱した核科学者のモデルであるともいわれている。

フォン・ノイマンは、まだヨーロッパにいた1928年に、論文「社会的ゲームの理論について」でゲーム理論を最初に取り上げた。フォン・ノイマンは、カードゲームや、子ども時代に遊んだチェスのような戦略ゲームからこの発想を得た。彼は、ポーカーは単なる偶然のゲームではないと考えた。ポーカーは戦略ゲームであり、戦略とは「はったり」だ。彼はもっとも効果的な「はったり戦略」を、数学的に突き止められないかと考えた。

ポーカーと戦争、共通の理論

フォン・ノイマンは、この発想を探求した最初の人間ではない。フランスのエミール・ボレルは1920年代初頭、この問題についていくつかの論文を書き、対戦相手の手札に関する情報が限られているとき、数学を使ってポーカーの勝利戦略を見つけることができるかについて議論した。ボレルは、そのような戦略は、経済および軍事計画にも適

用できるのではないかと考えた。ボレルよりずっと以前にも、ほかの思想家たちが勝利戦略の立案に数学を使おうとしてきた。

しかし、数学的ゲームを完全な理論として最初に確立したのはフォン・ノイマンだった。彼は、第二次世界大戦で太平洋に米軍配備の戦略を研究したことをきっかけのひとつとして、ゲーム理論について考えはじめた。1943年には、原子爆弾を開発するマンハッタン計画に参加した。彼は、確率モデルを使って、爆弾を搭載した飛行機が撃墜される可能性を減らす戦略を作成し、もっとも効果的な攻撃目標を選択するという課題に取り組んだ。原子爆弾の開発に取り組むあいだ、フォン・ノイマンは同じく移民であった同僚のオスカー・モルゲンシュテルンと協力し、ゲーム理論の基礎をなす本『ゲームの理論と経済行動』を書いた。この本が書かれたのは1944年だが、1946年まで出版されなかった。刊行時には、高度な数学の本としては異例なことに、新聞の一面を飾った。

ノイマンらの本は経済行動をゲームとして扱っていた。ノイマンはポーカーを見るように経済学を検討するため「合理的選択理論」を用いた。人間を「個々の合理的効用を最大化する者」、つまり個人の集まりを、それぞれが最大の「効用」を得る、あるいは個人の「利益」を最大化する戦略を実行する存在とみなす理論だ。この理論は、全員が1位を目指しているという仮定に基づき、人間の行動を数学的に予測することを目的とする。

ゲーム理論では、相互関係にかかわる人々は「プレーヤー」または「エージェント」と呼ばれる。プレーヤーまたはエージェントは、それぞれが勝利もしくは報酬を最大化する戦略を探すのに熱中していると考える。「現実の生活は、はったり、ちょっとした戦術上の嘘、あるいは自分がこの行動を取ったら他の人間がどう思うかという自問から成り立っている」とノイマンは主張した。彼が算出したプレーの最適な方法は、勝つためにプレーするのではなく、損失を最小化するためにプレーすることだ。この戦略は「ミニマックス戦略」としてのちに知られるようになる。想定される最大の（マックス）損失を、最小（ミニ）にする戦略だ。

罪を自白すべきか？

ミニマックス戦略がはたらく、もっとも有名な例が「囚人のジレンマ」だ。自分と、自分の共犯者がともに警察に逮捕され、別々の監房に入れられたとしよう。黙秘してお互いを守る場合（ゲーム理論では「協調」という）、警察は不十分な証拠しか得られないため、懲役５年で済む。しかし共犯者が背信すると（「裏切り」と呼ぶ）、共犯者は釈放され、自分は懲役20年だ。両方が自白すれば、どちらも懲役10年になる。

ゲーム理論では、各人が自分にとって最良の結果を望むと仮定する。それぞれの戦略と起こり得る結果には、ペアの番号を割り当て、数学的に分析できる。答えは、自白すべきだと出るだろう。どちらも懲役10年になるが、相手に自白されて結局懲役20年になるリスクを取るよりはましだ。これが最大の損失を最小にするシナリオ、ミニマックスだ。

これは戦略を立てる上で非常に美しくシンプルな技術に見えたので、アメリカ軍は全面的にこの手法を採用した。核兵器配備競争において、将軍たちがロシア人も同じゲームをプレーしているとみなし、核兵器の格納庫を建造するのを手助けしたのだ。フォン・ノイマン自身は、軍にモスクワへの先制核攻撃を促し、核兵器の製造競争を停止させようとした。世界にとって幸いなことに、全員がその構想に反対した。

その後、ゲーム理論は経済学や進化論にまで広がり、重要な役割を果たすようになった。しかし、数学は優雅で洗練されたものだ。ゲーム理論は多くの状況に新しい知見を与えたが、人間や動物の行動を完全にモデル化したとは言い難く、いまだ議論の余地がある。

1931年

●関係する数学者……………………
クルト・ゲーデル
●結論……………………………
古代ギリシャで伝わるパラドックスが、素朴に信じられていた数学の客観性に対する疑念を生むきっかけになった。

それは完全か？

数学の核心に挑む

1は1で、2足す2は4。自明ではないだろうか？ほとんどの思想家は長いあいだ、このことにわざわざ疑いを持たなかった。ほかの概念なら最終的に意見の相違の問題になり得る。しかし、数学は常に混じり気のない真理であるとみなされてきた。数学の理論を証明できたなら、真理を見つけたのと同義なのだ。

数学の全体的な論理構造

しかし約1世紀前、一部の数学者や哲学者が、より確固たる立場を築こうとした。当時発展しつつあった集合論が数学者と哲学者に大きな刺激を与えたからだ。集合論は、集合という観点から数学を体系化しはじめていた。2,300年前、ユークリッドは幾何学の出発点としていくつかの公理を設定して、体系を構築した。一部の数学者たちは、同じことを数学全体で実現したいと考えたわけだ。この試みは1910年から1913年にかけて出版された、バートランド・ラッセルとアルフレッド・ホワイトヘッドによる記念碑的な著作『プリンキピア・マテマティカ』によって本格化した。この書名はもちろん、1687年のニュートンの素晴らしい本の書名にちなんだものだ。彼らの目的は、数学が内包する論理構造全体を精査し、最終的に、基本的な原理に還元することだった。その原理は、すでに知られていたあらゆる数学を論理的に構築できなければならなかった。

それは途方もなく巨大な仕事で、ラッセルとホワイトヘッドは、3つの課題のうち、ひとつの大きな塊の全体像を突きとめるためだけにすべてをつぎ込み、そこで止まった。しかし彼らの仕事に刺激を受けた偉大なドイツの数学者ダフィット・ヒルベルトが、すべての数学を構築しうる完全な公理系を構築する計画に着手する。そのような公理系は無矛盾で（一貫して）、完全であり、これらの公理から生じるすべての証明は、定義により真でなければならない。論理的に無矛盾なら、ふたつの矛盾する答えが出るはずがない。完全であるなら、すべての言明は証明可能であるはずだ。

1930年代初頭までに、ヒルベルトの検討は大部分が解決し、23の問題として特定されたいくつかの小さな空白を埋めるだけで済むはずだった。この状況に割りこんで、壊滅的にも見える大きな影響を与えたのが、クルト・ゲーデルという若きオーストリアの数学者だった。1931年、ゲーデルは論文「プリンキピア・マテマティカと関連体系における形式的に決定不能な命題について」を書き、不完全性定理を証明した。

嘘つきのパラドックス

ゲーデルは、古くからある嘘つきのパラドックスについて考えた。誰かが自分は決して真実を語らないと言ったとして、それは信じられるのかを問うパラドックスだ。半ば神話上の存在であるクレタ人エピメニデスは「すべてのクレタ人は嘘つきだ」と主張したという。さて、彼は真実を述べているのか？　まず、パラドックスにならないケースもある。彼は嘘を言っており、真実を語るクレタ人を少なくともひとり知っているかもしれないからだ。そこで、論理学者はこの話を「この文章は偽である」という一文にまとめた。この文章が実際に偽であれば、逆説的なことに、文章は真になってしまう。その逆も同様だ。

ゲーデルは、「この文章は偽である」といった真偽をめぐる堂々めぐりから脱出するため、「この命題は証明できない」を数学的に証明できるかについて検討した。真偽と証明は別であることをまず示そうとしたのだ。

数学における証明は、本質的には、ある数の集合がほかの集合と等しいことを述べるものだ。結局、数は単なる記号にすぎない。したがってゲーデルは、「この命題は証明できな

い」という言明と算術的に同等な式をつくることができた。

ゲーデルは文を算術の命題に変換するという方法を工夫した。つまり、「この命題は証明できない」という言明そのものを数（ゲーデル数と呼ばれる）に変換したのだ。するとたちまち問題が生じる。証明できるのか、証明できないのか。証明できるなら、この言明は自己矛盾する。証明できないなら、ヒルベルトの計画における、完全性という基本的な前提「すべての命題は証明か反証ができる」に衝突する。

ゲーデルは、無矛盾性を表す命題に同じねじれがあることも示した。彼は、算術が無矛盾なら、その算術体系の中で自身の無矛盾性は証明できないことを証明した。

ゲーデルの一撃

つまり、ゲーデルはひとつの論文で、ヒルベルトの公理の核心である無矛盾性と完全性を解体してしまったのだ。それはヒルベルトの計画だけでなく、数学全般に対して痛恨の一撃だった。しばらくのあいだ、単なる技術的な不具合であると期待する者もいたが、ほかの数学者によるさらなる研究により、この議論はすべての公理系で成り立つことが示された。

ゲーデルの一撃は、数学はもはや真実の使者ととらえることはできず、数学的な証明は真実の宣言だとももはやいえないことを意味するように見えた。同様に、ある文章は真かもしれないが、証明できないかもしれない。こんな可能性があろうとは、古代ギリシャの時代から2,000年以上の間、数学者に考えられなかった。数学的論理は単純なイエスかノーだった。定理は、真または偽のいずれかであり、証明可能または反証可能だった。そこに3番目が生じてしまったのだ。真でも、証明できない命題が存在することになった。

理論上は、それは数学という構築物が砂上の楼閣であったことを意味する。実際的には、数学を再構築しようとしたヒルベルトのような人物を除けば、ほとんど影響はなかった。唯一の例外は、コンピューター科学の分野だ。この分野において、ゲーデルの一撃は深刻な危機を引き起こし、その解決には長い時間がかかった。

フィードバックループとは何か？

1948年

●関係する数学者……………………
ノーバート・ウィーナー
●結論……………………………
ウィーナーは、制御システムにかかわる研究に取り組んだ経験からヒントを得て、フィードバックを数学的に形式化した。

制御と通信理論

アメリカの数学者ノーバート・ウィーナーは、第二次世界大戦中、システムを制御するという考えに心をうばわれた人物だ。彼は対空砲の開発にかかわり、砲が自動で標的を定め、敵の戦闘機を撃ち落とす方法を見つけたかった。彼は制御システム、特にフィードバックの役割を検討しはじめた。

すべての生物は、周囲の状況に適応し反応する。これこそがフィードバックだ。人間は、ほかのすべての生物と同じく、もっとも単純な行動すら、感覚器から常に伝達されるデータに依存し、導かれている。人工物にもフィードバックが備えられている。変化に自動で反応する機械の歴史は、文明と同じくらい古い。たとえば水車用の貯水池は、満杯になると自動的にあふれ出す。

しかし、フィードバックの機構を最初に分析したのはウィーナーだった。戦後の1948年の著書『サイバネティックス　動物と機械における制御と通信』において彼は、自然界の動物と機械の双方について詳細な分析を行っている。対空砲に取り組んでいたとき、ウィーナーはそのフィードバックがしばしば失敗するのを見てきた。たとえば、データのフィードバックに遅延があると、対空砲は動作不良に陥り、標的の片側をまず撃ち、次にもう一方の端を撃ち、安定を取り戻そうとした。

循環する情報

こうしたフィードバックの失敗と人間の脳に類似点があるのだろうか、とウィーナーは疑問を持った。もちろん彼は身体の反射ループを知っていた。真っ赤に熱くなった表面に触れたとき、神経系が短絡して、脳を介さずに手を引かせるのが典型的な反射ループの反応だ。しかし彼は、もっと限定的な状況について考察したかった。そこで、ある神経科医に、脳の中央制御装置のひとつである小脳の損傷について尋ねた。その結果、患者が対象物に手をのばすとき、まず行き過ぎて、それから手前をつかもうとする障害に行き当たった。意図振戦と呼ばれる症状だ。脳が手の位置を制御するのに間に合う速さでフィードバックを手から受けられないと、手は前後に振れるのだ。戦後の研究で、ウィーナーはフィードバックの循環性に気づいた。行動と反応、働きかけと応答、原因と結果の間には、継続する循環的な相互作用がある。フィードバックによって、どのような変化に対しても、起こった現象に対する反応がある。彼がフィードバックループと名づけた現象だ。

正と負のループ

ウィーナーは、正のフィードバックループと負のフィードバックループに大きな違いがあることに気づいた。正のフィードバックループでは、フィードバックが信号を増幅する。ライブイベントで、マイクがスピーカーから音を拾って増幅し、すさまじくボリュームが上がって甲高い音が鳴るのを聞いたことがあるだろう。正のフィードバックといっても、多くの場合、制御された状態の真逆だ。世界の気候が温暖化することで永久凍土層を溶かし、メタンが放出されて温暖化がさらに進むときのように、その現象は悪循環と呼ばれるかもしれない。物事が段階的に程度を増していくのだ。

通常の制御下にある状態が負のフィードバックループだ。出力が特定の強度に達すると、それに反応して出力が減らされるため、系は安定している。たとえば、セントラルヒーティングが熱くなりすぎると、センサーが温度の上昇に反応して、サーモスタットが自動的にスイッチを切るような機構だ。

マクスウェルのガバナー

負のフィードバックを行う機器は古くからあるが、ジェームズ・クラーク・マクスウェルの画期的な論文「ガバナーについて」(1868年)まで数学的には研究されていなかった。ガバナーとは、1788年にジェームズ・ワットが、蒸気機関の速度を制御するために発明した、単純で独創的な制御機構だ。エンジンの速度が上がると、ガバナーのシャフトが速く動き、遠心力が金属の球を押し上げる。これにより、エンジンの絞り弁を閉じるレバーが引かれる。したがってエンジンは減速し、球が落ちて、絞り弁が再び開く。

マクスウェルが制御の循環性に関心を持ったのは、1820年代、フランスのサディ・カルノーが開発した熱機関において、熱とエネルギーの循環を実現したことからだ。そしてマクスウェルの論文は、制御ループの発想を、科学の主流に引き込んだ。ウィーナーはマクスウェルの成果に負うところが大きいことを認めていた。彼の本のタイトル『サイバネティックス』は、彼がギリシャ語の「ガバナー」(知事、総督)にちなんで生み出した造語である。

サイバネティックな未来

ウィーナーの著書は、フィードバックを使用した制御機構の理論をさらに前に進めている。彼は「ブラックボックス」、つまり入力と出力はわかっているが内部処理が不明な系と、「ホワイトボックス」、つまり内部動作が事前に定義されている単純な系を区別した。

「サイバネティックス」という言葉は一般に普及した。機械の自動制御は当時すでに広く利用されていたが、ウィーナーの著書は、フィードバック制御機構の大規模な開発を先取りし、コンピューターの登場を促した。

フィードバック機構によってあらゆる機械が制御されるため、人間の介入はほとんど必要とされず、労働者の多くは不要になって、廃墟のような場所に投げ込まれる——。そんなディストピアを彼は想像した。彼の発想はロボット工学にも影響を及ぼした。フィードバックループはロボットが世界に介入し、応答する機構の要となるからだ。

フィードバック制御機構は、自動制御のキッチンから自動運転車まで、今やわれわれの生活様式に深く組み込まれている。しかし、ウィーナーはこうした進展を、それほどよいものだとは見ていなかった。

1948年

●関係する数学者……………………………
クロード・シャノン
●結論…………………………………………
シャノンは、２進法の数学でノイズの問題を解決した。

情報を送信する最良の方法は？

２進数とデジタル信号

遠くへ信号を送信しようとすると悩まされることがある。第一次世界大戦中、ある将軍が次のような内容のメッセージを送ったという。「Send reinforcements; we are going to advance.（援軍を送れ。当方は進軍する）」。数カ所を中継して転送された後、最終的に受信されたメッセージはこうなっていた。「Send three and four pence; we are going to a dance（３ペンスと４ペンスを送れ。当方はダンスクラブに行く）」。言い換えれば、送信された信号は長距離を移動するうちに、情報を失い、内容が歪むのだ。

接続の問題

1940年代には電話網が拡大し、大西洋の底を通して電話が通じるのは当然と思われていた。当時すでに大西洋を横断する電信がはじまってほぼ１世紀も経っていた。しかし、接続が確立された後になって、大西洋越しに送信された信号は、対岸では読み取れないことがわかった。

技術者たちは、この問題の技術的な解決策を探した。問題は、信号が大西洋を横断するにつれて、信号がどんどん弱くなるように見えることだった。それでは、途中で信号を何度か増幅すればよいのではないか？　しかし、信号の増幅には問題があった。信号が移動するにつれて、不規則な背景雑音を拾ってしまうのだ。これは「ホワイトノイズ」とも呼ばれる。信号を増幅すると、このホワイトノイズも増える。結局、このホワイトノイズが信号を埋め尽くし、通信内容が失われてしまうのだ。

信号の増幅に伴うホワイトノイズは克服できない障害で、もともとの根本的な性質であるように見えた。しかし、アメリカのベル研究所に勤める数学者で、電子工学者でもあったクロード・シャノンには別のアイデアがあった。技術的な修正ではなく、通信そのものを別の方法で行うことを考えたのだ。1948年、シャノンは論文「通信の数学的理論」を発表した。この論文で、シャノンはまず、情報とは何かを定義した。彼が示した情報の定義は従来とはまったく異なるものだった。背景雑音は不規則で、特徴を持たない。ニュースは、これまでに見聞きしたことがないからニュースなのだ。情報とは予想外なものであり、異常なものだ。これがホワイトノイズと情報との違いである。

この定義は、電信だけでなく、すべての情報に当てはまる。この洞察は、世界の見方を根本的に変えた。生物を生かしつづけるのも、水滴を形づくるのも情報なのだ。

情報エントロピー

19世紀、物理学者ルートヴィヒ・ボルツマンは、宇宙における秩序と無秩序の熱力学的性質を突き止めようとした。熱力学の第二法則では、エントロピーの概念に焦点が当てられている。エントロピーとは系の乱雑さを示す尺度で、何か変化が起こると、すべての系でその乱雑さが増していく。

シャノンは、情報は秩序であり、ホワイトノイズによる情報の損失は無秩序またはエントロピーの増大に等しいことを示した。彼はさらに考えを進め、情報が劣化する確率を示す方程式をつくった。シャノンの方程式は現在、情報理論の基礎となっている。

これより20年以上早く、電子工学技術者ラルフ・ハートレーが、情報を測定可能な、数学的な量として捉えようというアイデアを持っていた。シャノンはさらに情報の予測不可能性を非常に簡単な方法で測定できることに気づき、それによって雑音のない転送技術の秘密を解き明かしたのだった。答えは2進法にあった。

0と1

2進法を使えば、あらゆる数を0と1だけで表すことができる。この考えは少なくとも古代エジプトの時代までさかのぼる。1679年にゴットフリート・ライプニッツによって再発見され、19世紀半ば、ジョージ・ブールによるブール代数として、完全な論理系に発展した。

シャノンは、2進法を使えば、情報のもっとも基本的な単位、その原子にあたるものを定義できることに気づいた。すべての情報の断片は最終的に、「はい」か「いいえ」、「停止」か「実行」、「オン」か「オフ」に分類できる。2進法では、この単位は0または1となる。シャノンが気づいたのは、情報のすべての小片は、基本的なかたまりである0と1が連なった文字列で表せる、つまりコード化できるということだった。シャノンはこの基本的なかたまりを「ビット」と呼び、その名がのちに定着した。

電信は、音声が生み出す振動を、電圧が連続的に変化する電流に変換して送信する。この連続的に変化する信号は、現在「アナログ」信号と呼ばれている。ホワイトノイズが発生しやすいのは、このアナログ信号だ。

シャノンは、さまざまな音声をすべて2進数の記号列、つまりデジタルコードに変換することを提案した。音声を伝える空気中の振動は、符号器（エンコーダー）によって、単純な0と1の電気信号に変換される。0が低電圧、1が高電圧だ。この0と1の記号列が、通信の宛先で音声を再生するのに使われる。

このコード化された信号であっても、ホワイトノイズ干渉の影響を受けるが、0と1の違いは非常に明確なので、受信機が信号を切り出し、もとの通信を取り出して再構築するのがかなり容易になる。伝送途中の信号から雑音除去することもできる。電子機器を使って背景雑音を取り除き、デジタル信号のみを送信するのだ。

この仕組みはうまく機能した。そのため電話の大部分はデジタル信号で送信されるようになった。しかし、シャノンは単に技術的な問題を解決しただけではなかった。彼は情報の性質について根本的な発見をしたのだ。すべての情報を2進数で表せると示すことで、シャノンは情報理論の誕生を告げる、新たな力強い洞察を提示した。もっとも劇的だったのは、シャノンの論文が、すべてのコンピュータと通信技術を支えるデジタル技術への道を開いたことだ。

戦略を変えるべきか？

1949年

●関係する数学者……………………
ジョン・ナッシュ
●結論……………………………………
ゲーム理論を改良したのは、決定したことを「後悔しない」という発想だった。

「後悔しない」ゲーム理論

1940年代後半、世界が第二次世界大戦の恐怖から立ち直ろうとしているとき、アメリカの数学者たちは、人間の行動の相互作用をゲームの戦略として見るゲーム理論を発展させつつあった。すべてのプレーヤーが、それぞれ自分にとって最高のものを手に入れようとしていると考え、人々の行動を数学的に予測しようとしたのだ。

ジョン・フォン・ノイマンは、ハンガリー出身の数学者で、ゲーム理論の発想をオスカー・モルゲンシュテルンとともに最初に開発した人物だ。ノイマンは、ゲームをプレーする戦略は、勝とうとせず、損失を最小限に抑えることだと信じていた（139ページ参照）。つまり想定される最大の（マックス）損失を、最小（ミニ）にする戦略だ。これが「ミニマックス」戦略である。この戦略は、対戦相手について何も知らない場合にのみ意味がある。暗闇の中では安全策を採るのが理にかなっているということだ。

ゲームチェンジャー

しかしほとんどの場合、人々はいくらかの情報を持っている。ミニマックス戦略が唯一の戦略なら、選択肢はかなり限られるだろう。しかし1949年、優秀な数学者ジョン・ナッシュが、わずか2ページの論文で、ミニマックス戦略とは異なる重要な考え方を示した。彼は、文字通りゲームチェンジャー（大変革をもたらす者）だった。

ナッシュの理論は、「後悔しない」理論としても知られている。この理論は、各プレーヤーが公平に、ほかのプレーヤーがどのようにプレーするかについての知識を持ち、戦略を変更しても何も得がないという発想に基づいている。そのため、ゲームは誰もほかのプレーヤーより勝ったり負けたりしない膠着状態に達する。ナッシュ均衡として知られる状態だ。

男女の争い

幸せなカップル、ボブとアリスは映画を見に行く。彼らは一緒に行きたがっている。しかし、アリスはアクション映画を見たがり、ボブはコメディを見たがっている。さて、彼らはどうするか？　彼らが別々の道を選んだとしても、ゲーム理論研究者の言葉を借りれば、「利得」を得られない。要するに満足できない。しかし、彼らが一緒にアクション映画かコメディのどちらかに行けば、ふたりともいくらかの利得を得て、そして一方は見たかった映画を楽しむだろう。ここでどちらを選択したとしても、ボブとアリスの間にある利得のバランスがナッシュ均衡だ。これは「男女の争い」と呼ばれる。

ナッシュ均衡が働くもうひとつの有名な例は「囚人のジレンマ」だ。プレーヤーはある犯罪についてふたりの容疑者を逮捕し、別々の監房に入れる（140ページ参照）。お互いが黙秘してお互いを守る場合、警察の不十分な証拠のみによる、懲役5年で済む。しかし、もしひとりが裏切って自白すると、自白した囚人は釈放され、仲間の囚人は懲役20年になる。両方が自白すれば、どちらも懲役10年になる。

ノイマンのミニマックス戦略は、この状況をひとりの視点からだけ見て、最悪の被害を最小限に抑えるためには自白する必要があると結論づけた。一方のナッシュはそれを両方の視点から見て、各囚人が彼らの仲間が何をするのかを推測できるとした。彼らは前もって、捕まったあとどうするか議論さえしているかもしれない。このように見たところで、結果はミニマックス戦略を採ったときと同じだ。つまり、両方の囚人は自白するべきである。しかし、ナッシュの理由づけは異なる。この結果になるのは、どちらの囚人も、戦略を変更して黙秘しても利益を得られないからだ。これは利得のバランス、つまりナッシュ均衡である。

重要なのは、もし囚人たちが後に仲間が何をしたかを知っても、どちらの囚人も自分の選択を後悔しないだろうということだ。ひとりが黙秘を選び、のちに仲間が自白していたことを知ったなら、もちろん彼は懲役20年の刑になり、自分が自白しなかったという事実を悔いるだろう。

戦争ゲーム

ナッシュ均衡の概念が登場した後、ゲーム理論は経済学だけでなく、心理学、進化生物学、および他の多くの分野でも広く採用されるようになった。ゲーム理論は、戦略的行動を計算可能な形で理解する方法と捉えられ、経済学者も軍もすぐに好んで使うようになった。最近まで、ノーベル経済学賞受賞者のほぼ全員がゲーム理論を研究に取り入れていたくらいだ。1950年代から60年代にかけて、アメリカが核兵器競争を牽引する上で重要な役割を果たした。

しかし、研究者の一部は、プレーヤーたちが他のプレーヤーの振る舞いを知らずに最初の均衡に本当に達するのか疑問に思っている。最近、数学者たちは、プレーヤーが自分たちの優先傾向についてすべてを語り合わない限り、ナッシュ均衡に到達するのは難しいことを示している。そして、プレーヤーの数が多ければ、均衡に達するまでにほぼ無限の時間がかかる可能性がある。

囚人のジレンマに関する科学実験は、人々がナッシュ戦略を採用することはほとんどなく、ゲーム理論が想定するよりもはるかに忠誠心と連帯に基づいて行動することを示している。現在、経済学者たちは、人々が実際には、ゲーム理論の予測通りには振る舞わないことにほぼ同意している。ナッシュ自身、ナッシュ均衡の発展に取り組んでいた際に統合失調症に苦しんでいたこともあり、自分の成果に疑問を抱いていたと、のちに述べている。1994年、ノーベル賞を受賞したときのことだ。「徐々にわたしは、自分の姿勢として特徴的であった、妄想の影響を受けた思考の一部を、知的に拒否しつつある」。

それでも、多くの経済学者は、ナッシュの1948年の論文を20世紀の画期的な瞬間のひとつと評価している。

第7章 コンピューター時代

1950年～

数学は長い時間をかけて発展してきたが、いったん最初のコンピューターが設計されると、数学は急速に進化した。コンピューターは数学者に絶大な力を授ける。複雑な計算やシミュレーションを、人力で行うのに比べてほんのわずかな時間で実行できるようになっただけでなく、インターネットのような技術の発展のおかげで、遠く離れて研究に取り組む数学者たちは従来よりも迅速に共同作業ができるようになった。

機械の実行ボタンを押すだけで計算できるからこそ、純粋数学は以前よりずっと抽象的で概念的なものになった。アンドリュー・ワイルズがフェルマーの最終定理を解くために利用した楕円曲線、マリアム・ミルザハニが発展させたトポロジーは、われわれを取り巻く身近な世界の数学からますます遠ざかっている。しかし、彼らの成果は、数学の中でも、驚くほど美しいものだ。

1950年

●関係する数学者……………………
アラン・チューリング
●結論……………………………………
数理論理学の問題に対するチューリングの解決策は、現代のコンピューター科学への道のりの重要な一歩になった。

コンピューターが解ける問題はあるか？

決定問題の解決

1936年、プリンストン大学で博士号の取得に向けて学んでいた、若きイギリスの数学者アラン・チューリングは、短い論文「計算可能数、ならびにそのヒルベルトの決定問題への応用」を出版した。36ページと短く、厄介な数理論理学のみを扱った論文だった。それにもかかわらず、この論文は歴史の転換点であり、現代のコンピューター時代のはじまりを示唆していた。

それ以前の1928年にダフィット・ヒルベルトとヴィルヘルム・アッカーマンが提起したのが「決定問題」だ。与えられた言明を、論理規則を用いた基本公理から証明できるかどうかを判定するアルゴリズムを発見するという問題だ。チューリングが思いついた答えは、天才的なものだった。チューリングにコンピューターをつくろうという意思はなく、単に数学の問題に挑んだだけだ。それでもチューリングの洞察は、コンピューターの開発を可能にする数学への道を示していた。

人間のコンピューター

決定問題を解決するために、チューリングは基本に戻って、数学者が問題を解決するときに何がなされているのかを解明した。問題を解く過程では何が起きているのだろうか？　チューリングの時代の「コンピューター」とは、税金の請求書から天文学の星図まで、何かを計算するために雇われた人のことだった。しかし、彼らは実際には何をしていたのか？　その過程を詳しく検討したチューリングは、必要なのは一連の規則だけであることに気づいた。人間の精神は、知性と思考能力の量において優れている。しかし計算過程に関して言えば、必要なのは一連の命令だけだ。思考を必要としない機械にも扱える単純な命題に還元できる。

実のところ計算に必要な要素はふたつしかない。入力すべきデータと、何をするかの指針だけだ。過程が機械的なものなら、機械でそれが行えるだろうか？　実行可能だ、というのがチューリングの答えだ。実際、正しい形式で機械にデータと指示を与えるだけでいい。

機械と会話する

チューリングは機械が何かを「理解」することはできないとしても、入力に対する応答はできることにも気づいた。入力は、可能な限り単純な形式（「停止」か「作動」または「オン」か「オフ」）である必要がある。しかし、二値論理の0と1を使えば、機械に事実上何でも伝えられるコードを作成できる。

そこでチューリングは、信じられないほど長い紙テープに、正方形の模様で0または1を書いた命令によって制御される、架空の数学的機械を考えた。テープが巻き取られると、機械がコードを読み取り、その入力に反応する。機械はテープを前後に動かし、いつでも、テープのマス目に書かれた単一の記号を読み取り、その入力に対して応答する。機械は記号を無視したり、マス目に書き込んだり、テープを一定の方向やその逆に動かしたり、新しい状態に変更したりできる。そうすれば、詳細な入力や問題解決に必要なアルゴリズムを、段階を踏んで機械に読み込ませることができる。もちろんこの読み込ませるものが、現代でいうプログラムだ。

チューリング会社

この架空の機械を考案していたとき、チューリングは、これを実現する実際の機械式コンピューターについてまったく理解していなかった。彼の機械は、決定問題に答える手段にすぎなかったのだ。決定問題は次のようにまとめることができる。すべての数学上の問題を決定できる明確な方法または手順が、少なくとも原理的に、存在しうるか？

チューリングは次のように推論した。もし理論上、これを実際に行うことができる機械があれば、課題は解決される。そして、チューリングの構想の美しい点は、機械に何か新しいことをさせたければ、新しい命令を与えればいいだけだということだ。テープ上に新たなマス目を与えたり、新たなテープを与えたりすればいい。もちろん理論上はどんな命令でもつくることができる。これが、チューリングの仮想機械が万能チューリングマシンと呼ばれるようになったゆえんである。

チューリングが、まさに彼の注目すべき論文の冒頭で述べている。

> この論文の主題は、表向きは［ただ］計算可能な数だ。積分変数または実数または計算可能な変数、計算可能な命題の述語などに関する計算可能な関数を定義する、および調べるのは、ほぼ同等に簡単だ。

言い換えれば、数学の問題を投げ込めば、その問題を解いてくれるということだ。

何でも来い！

明らかに、複雑な作業には非常に長い命令と複雑なプログラミングが必要だった。しかし、天才の構想によれば、適切なプログラムがあれば、機械にどんなことでも実行させることができる。これは情報の性質に対する深い洞察だった。宇宙の営みには情報さえあればよいのだ。やがてチューリングの洞察は解き放たれ、コンピューター革命が起きた。音楽プレーヤー、電話、電子キーボード、飛行制御機構、考えられるすべての電子機器は、基本的には同じコンピューターで、命令や出力が異なるだけだ。ソフトウェア、アプリケーション、プログラムは、チューリングの架空のテープにある0と1の長い列にすぎない。

チューリングは自身の論文の発想を生かし、初の実際の機械式コンピューターの製造にかかわった。それはドイツ軍の通信を暗号化するエニグマに挑み、解読するコンピューターだった。当時、エニグマ暗号は決して破られないと考えられていた。しかし1941年、チューリングのコンピューターはこの暗号を打ち砕き、イギリスは無数の秘密通信の解読に成功した。そのおかげで、連合国は優位に立ち、2年早く戦争を終わらせ、何百万人もの命を救ったと信じる人もいる。しかし、その後の世界を真に変えたのは、理論上のチューリングマシンだった。

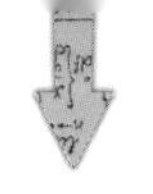

チョウは竜巻を引き起こすか？

1963年

●関係する数学者……………………
エドワード・ローレンツ
●結論…………………………………
ローレンツは、複雑な系における小さな変化が、無視できないほどの、あるいは無秩序な影響を与える可能性があることを示した。

予測困難性の数学

1972年、気象学者エドワード・ローレンツは、アメリカ科学振興協会の第139回会議で「ブラジルのチョウ（バタフライ）の羽ばたきは、テキサスで竜巻を起こすか？」という題で講演を行った。この題は、小さな出来事が大きな変化を引き起こす可能性があるというローレンツの説を端的に示そうと、会議の主催者フィリップ・メリリーズが考えた、挑発的な仕掛けだった。バタフライ効果という言葉は実際に定着し、のちにローレンツが想像もしなかったほど無数の変種が出現した。ある意味で、この言い回しはローレンツの発想自体の比喩でもある。ほんの小さな発想が、津波のように強い興味を引き起こしたわけだ。

誤解されたチョウ

わずかな変化が大きな影響を与える可能性があるという考えは、たしかに魅力的だ。 突然、私たちそれぞれに偉大な力が与えられたように思えるからだ。空恐ろしいほどである。スティーブン・キングの小説『11/22/63』では、ジェイクという若者が過去にさかのぼり、オズワルドがケネディ大統領を暗殺するのを防いだ。これが人類に大きな利益になると信じたからだ。しかし、ジェイクが現在の時間に戻ったとき、世界は核のハルマゲドンによって大半が破壊され、混乱に陥っていた。あわててジェイクは過去に戻って暗殺を起こさせる。

しかし小さな変化から一見して強大な力が生じるという物語は、ローレンツの考え方の要点を逃している。彼は、小さな効果が大きな影響を与えるとも、てこのように小さな力が強化されるとも言っていない。その代わり、複雑な系では、小さな出来事は小さな影響か大きな出来事をもたらす可能性があり、どちらになるかを当てるのは不可能だと述べただけなのだ。

天気を予測する

ローレンツが着想を得たのは、1960年代、コンピューターを使って天気予報モデルをつくっていたときだった。ある状況で彼は初期状態の数値を0.506127から0.506に丸めた。それは巨大な系においては小さな、知覚できないほどの変化に思えたが、得られた結果は大きく異なっていた。

次の10年間でローレンツは、天気と同じくらい複雑な系は開始条件に非常に敏感で、わずかな違いが結果に大きな影響を与える可能性があるという仮説を磨き上げていった。そして、物事がどのように進むかを予測する方法はほとんどなく、そのような予測不可能な系を、ローレンツはカオス的であると表現した。こうして彼の考えはカオス理論と呼ばれるようになった。彼自身の、もっと科学的な説明は次の通りである。

> 初期条件を正確に測定することが不可能であり、それゆえ中央の軌跡と、中央から離れた隣接する軌跡を区別できないことを考慮すると、すべての非周期的な軌跡は事実上不安定であり、実際的な予測はできないと考えられる。

この地味な文章が世界を震撼させたとは思えないが、実はそうだったのだ。宇宙は無限の複雑さを持つ。しかし、ニュートンが運動法則を導入した後、科学者たちはその法則は少なくとも決定論的に振る舞う、つまり原因と結果の間には単純な関係があると仮定した。ニュートンの法則によれば、何かが起こるのは、別のことが起こったからだ。つまり最終的に、宇宙の未来は機械的に決定される。ひとつひとつの原子の動きも予測できる。過去の出来事によって、必然的に未来は決定されている。今まではそう考えられてきた。

宇宙を突きとめる試み

科学者や数学者は、正しい法則、方程式、データを見つけることができれば、すべてを正確に予測できると信じていた。18世紀、ピエール=シモン・ラプラスは、予測不可能性は宇宙に存在せず、自然のすべての物理法則がわかれば、「不確かなものはなく、未来は過去と同じように［われわれの］目の前に存在する」と主張した。

この信念は、ボルツマンが統計的アプローチを導入し、量子力学で量子の不確実性が明らかになったあとでさえ、完全には払拭されなかった。しかし、前世紀の変わり目に、アンリ・ポアンカレ（124ページ参照）は、最初の小さな違いが結果に大きな影響を与えたために、惑星軌道の計算に失敗したことに気づいた。

ポアンカレは、科学者たちが偶然の影響を無視してきたと結論づけた。彼は決定論的宇宙の概念に異を唱えたわけではないが、偶然として片づけられてきた小さい差異も、大きな影響を与える可能性があることを指摘した。

ローレンツはさらに考えを進めた。彼も原因があって結果があるという考えを捨てたわけではなかったが、いくつかの複雑な自然の系においては、小さな違いの影響は予測不可能であり、決定論的な考えはほとんど無意味だと述べた。カオス系では、原因と結果、あるいはスタート地点と最終到達地点の間を線形関係で結ぶことは不可能になり、ニュートン力学で想定された線形関係がまったく機能しないのだ。

予報

気象学者が、どれほど優れたデータや方程式を用意しても、未来の天気予報を正確に計算できる直線的な関係を見出すことはできない。ただしローレンツは、わずかに異なる初期条件の組み合わせを使って、並列気象シミュレーションを実行し、もっとも可能性の高い結果の近似値を得ようとした。これらはのちに「アンサンブル」天気予報方式に発展する。確率の組み合わせを使用して、将来のある時点で適切な予測を達成するものだ。

カオス理論は、宇宙は恐ろしい原始的な混乱状態にあるという印象を与えるせいか、一般の人々の想像力をかきたてた。しかし科学者にとって、カオス理論はかなり有用であることが証明されている。進化からロボット工学まで、線形関係ではなく全体的なパターンを探すことで複雑な系をよりよく理解できる可能性があることを示しているからだ。

1974年

●関係する数学者……………………………
ロジャー・ペンローズ、MC・エッシャー
●結論……………………………………
パターンをくり返さない、美しいモザイク模様が可能であることが証明された。

カイトとダーツが覆うのは何か？

目まいを引き起こすペンローズのタイル

イスラムの建物には、驚くほど美しく複雑なタイルの模様で飾られているものがよくある。数学者は、このようなテセレーションと呼ばれるタイルの模様に特にひきつけられる。その模様が、興味深い数学の難問を投げかけてくるからだ。実際、イスラムのタイル模様は実質的にアルゴリズムだと論じる人もいる。

過去半世紀の間に、数学者たちはテセレーションがどのように構成され、模様がどのように広範囲にわたって組み合わされているかに関心を寄せてきた。数のパターンに感じるのと同じ種類の魅力を模様に感じているのだ。数学者たちは、規則正しく、パターンをくり返さないタイル模様を探しはじめた。そのようなタイルを非周期的タイルという。

5にかかわる問題

周期的タイル模様とは、常に同じパターンをくり返す模様だ。家の浴室の床を埋める正方形のタイルは、周期的タイル模様だ。どこまでいっても模様は常に同じ。正三角形も複数が合わさって、周期的なタイル模様をつくりあげる。正六角形もそうだ。数学者たちは、これを並進対称性と呼ぶ。つまり、横切って移動して（平行移動して）視点をずらしても、常に同じように見える模様が持つ性質だ。しかし、正五角形はタイル模様をつくれない。正五角形を合わせようとすると、すき間が空いてしまうからだ。

ヨハネス・ケプラーは1619年、正五角形の間のすき間を五芒星（ペンタグラム）で埋める方法を示した。輝かしい業績を持つ数学者ロジャー・ペンローズは、1950年代にテセレーションに興味を持ちはじめた。本人が認めるとおり、きっかけはケプラーの研究である。しかしペンローズは、正五角形だけに興味を持ったわけではない。彼は対称性の破れと、非周期的タイル模様に興味を持ったのだ。

不可能な芸術家

「不可能」な絵画作品を製作したことで有名なオランダ人の芸術家M・C・エッシャーもテセレーションに興味を持っていた。1950年代に、エッシャーはかみ合って連結する動物の模様を使い、『モザイク1』『モザイク2』と題した非周期的タイル模様を描いた2点の版画を制作した。

このときまでに、ペンローズとエッシャーはすでに知り合っており、テセレーションというテーマについてやりとりをしていた。1962年、ペンローズはオランダにエッシャーを訪れ、同じ幾何学的な図形が組み合った小さな木のパズルを贈った。エッシャーを驚かせたのは、これらのタイルは一方向にしか合わなかったことだ。周期的なタイル模様だけが永久にくり返されるという彼の信念に反するものだった。

エッシャーは、周期的でないテセレーションに当惑したが、結局、1971年に幽霊の形を組み合わせる模様を思いついた。彼の絵の中でも、独特で強く印象に残るのは非周期的な作品だった。

5つ星の実績

その間、ペンローズも五角形をもとにした図形を使った非周期的タイル模様に取り組んでいた。彼は3つの異なる組み合わせを考え出した。ひとつ目は4つの図形を使う。正五角形、五芒星、ボート（星の5分の3）、および薄いひし形だ。3つ目はひし形を使う。彼が1974年に発表したふたつ目の組み合わせは、もっとも注目に値する。ペンローズの名を高めたこの模様は、カイト（凧）とダーツ（矢）と呼ばれるたったふたつの四角形でできている。

ペンローズのタイルには、タイルを合わせる方法に関する規則がある。カイトとダーツの場合、カイトをダーツの矢のV部分に挿入してひし形をつくってはいけないという重要な規則がある。このふたつの単純な図形が相互作用する様子には、驚くべきことがいくつかある。以前は、非周期的なタイル模様を構成するには、何千もの種類の図形が必要だと考えられていた。しかし、カイトとダーツというたったふたつの図形で実現できるのだ。1984年に、ペンローズは、無限の平面上を、一度もくり返すことのない無限の数の模様で埋めつく

せることを示した。

5で遊ぶ

それまでは、5回回転対称な模様は自然界では決して発生しないと想定されていた。しかし、ペンローズタイルが発見されると、科学者たちは自然界の実例を発見しはじめた。驚くことに、2次元の例だけでなく3次元の例も見つかった。たとえば、結晶対称性の標準モデルでは、5回回転対称性はあり得ないと考えられていたのに、実例が見つかったのだ。

1982年、化学者ダン・シェヒトマンは、ある結晶を分析していて、実は5回回転対称性を持っていることを発見した。その結果はとんでもないもので、しばらくの間シェヒトマンは間違いを犯したと仲間内から冷たい目で見られていたくらいだ。ペンローズでさえもこの結果には驚いた。そこまで衝撃的だったのは、このように形成された結晶が存在するなら、結晶構造に対する従来の見方を根本から修正しなければならなくなるからだ。しかしのちに、シェヒトマンが正しかったことが判明した。彼は、準結晶と呼ばれる新しい種類の結晶を発見したのだ。

ペンローズのタイル

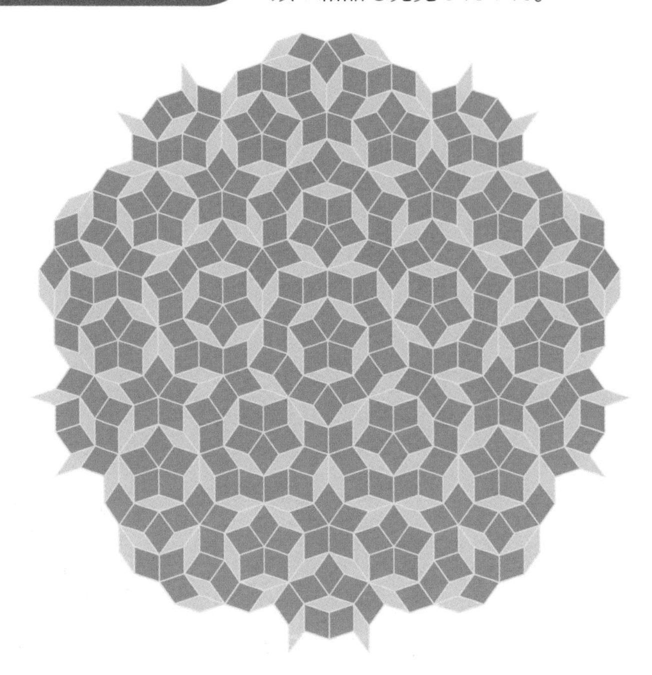

それ以来、ほかにも多くの準結晶が発見され、2011年にシェヒトマンはノーベル化学賞を受賞した。多くの人々が、ペンローズも共同受賞者とすべきだと感じていた。ペンローズの並外れた発見がなければ、準結晶が確認されることもなかったはずだからだ。ヘルシンキでは、ある通り全体がペンローズのカイトとダーツの模様で埋めつくされている。その印象は驚くほど目に心地よい。

フェルマーは証明したのか？

1994年

●関係する数学者……………………
アンドリュー・ワイルズ
●結論………………………………
何世紀も前に投げかけられた数学の問題が、数論における最先端の技術によって解決された。

フェルマーの最終定理を解決する

1637年、フランスの数学者ピエール・ド・フェルマーは、紀元前250年にディオファントスが著した古代ギリシャ語の本『算術』を研究していた（46ページ参照）。『算術』は、フェルマー自身の専門である数論に関する古典であり、彼は本を読みながら、しばしば欄外にメモを書きこんだ。

ある1ページが特にフェルマーの興味をそそった。このページは、ピタゴラスによって有名になった、直角三角形の各辺の2乗に関する方程式を扱っていた。その式とは$x^2+y^2=z^2$であり、たとえば$3^2+4^2=5^2$である。ディオファントスは読者に、この式を満たす自然数を見つけるよう呼びかけていた。

彼にとってこれは明らかに古臭い問題だった。そこで欄外メモで、同じ方程式の、2乗より大きな指数の場合について探索しはじめた。まずは3乗、$x^3+y^3=z^3$からだ。彼は、この方程式を満たす自然数はないことを書き留めた。さらに$x^n+y^n=z^n$について、nが2よりも大きいどの自然数でも、式を満たす数はないと述べた。驚くべき主張だったが、フェルマーは次のように書いている。「この定理にかんして、わたしは真に驚くべき証明を発見したが、この余白はそれを書くには狭すぎる」。ここでメモは終わっている。

終わらない宝探し

のちの時代の数学者たちは、この欄外のわずかな手がかりに食いついた。黒ひげの宝物の場所を見つけたが、地図に残せなかったと言われたようなものだ。フェルマーのつくり話だと信じる者もいれば、あるいはせいぜい穴だらけの証明を発見したのだろうと考える者もいた。フェルマーが残した本の欄外には、ほかにも着想が書かれていたが、ひとつずつ証明されたり反証されたりした。しかし、この定理だけはすべての挑戦を撥ねつけ、フェルマーの最終定理として知られるようになった。その証明（または反証）は、数論学者にとっての聖杯だった。

こんな話がある。富裕なドイツの実業家で、アマチュアの数学者でもあったパウル・ヴォルフスケールが、まさに自殺しようとしていた。ある少女のためだったという。彼は真夜中に頭を撃ちぬこうと決めた。しかし実行に移す前に、彼は図書館に行き、フェルマーの最終定理に関するエルンスト・クンマーの論文を読みはじめた。論文の欠陥を見つけた彼は、すぐに自分なりの解決策に取り組みはじめたので、自殺の決行日を逃したのだという。真実がどうであれ、1906年に亡くなるとき、ヴォルフスケールはフェルマーの最終定理を証明した最初の人物に100,000マルクを贈るという遺言を残した。

ある少年の探索

しかし、誰にも謎が解けなかった。1963年、10歳の少年アンドリュー・ワイルズは、地元ケンブリッジの図書館である本を借りた。数学者エリック・テンプル・ベルが書いた、フェルマーの最終定理を扱った本だ。ベルは、誰かがフェルマーの最終定理を解くより早く、核戦争で人類は破滅するだろうと陰気に予言していた。若きアンドリューは、いつかベルの予言が誤っていることを証明しようと決心した。

ワイルズは約30年後の1994年、ついに世界を驚かせた。彼の証明は、日本の数学者、谷山豊が提出し、志村五郎が定式化した予想から生まれた。 彼らの発想は、3次方程式を含む楕円曲線とモジュラー形式（正弦や余弦に近い関数）に関連するものだった。ほとんどの数学者は、この予想がほかの研究に刺激を与える力を持っていると確信していた。

カーブボールが核心を射抜く

1986年のこと、すでにワイルズはプリンストン大学の教授となっていた。僚友のプリンストン大学教授ケン・リベットは、ドイツの数学者ゲルハルト・フライの研究に基づいて、谷山－志村予想とフェルマーの最終定理との意外な関連を見出した。リベットは、フェルマーの最終定理に反して、もしフェルマー方程式に「解」が存在する場合、モジュラーでない楕円曲線が得られることを示した。これは、谷山－

志村予想と矛盾する。つまり誰かが谷山－志村予想を証明できれば、フェルマー方程式に解がないことになる。それはフェルマーの最終定理が正しいことを意味する。

解決策の探求をほとんど断念していたワイルズは、リベットの成果に勇気づけられた。彼はもともと楕円曲線にも興味を持って研究していたが、今や自分の目標への道筋が見えたのだ。彼は密かに探求を進め、自分がフェルマーの最終定理の研究に取り組んでいることを妻にしか明かしていなかった。彼の手法は、楕円曲線の特定の部分集合に注目することだった。それらが無数の事例でモジュラー形式であることを証明できれば、谷山－志村予想を解決し、フェルマーの最終定理の究極の証明を発見できる。

7年後、彼はついに画期的な成果を上げ、1993年6月23日に故郷のケンブリッジで開催される会議で公表した。ワイルズはこんな爆弾発言で発表を要約した。「フェルマーの最終定理の証明を」ここで彼は微笑み、こう継いだ。「ここに書ききれていると思います」。

楕円曲線

欠陥を修正する

メディアは大騒ぎになった。一方、ワイルズは自ら大量かつ複雑な証明を検証し、いつものように査読者に送る準備をしている途中、証明の欠陥を発見した。彼の議論が3以上のすべての自然数に当てはまることを証明するには、ドミノが倒れるように、ある場合に関する証明が必然的に次の場合につながることが証明できればよいはずだった。問題はそこで、つまり、そうではなかったのだ。彼ははげしく落胆した。結局フェルマーの悪魔を倒せなかっただけでなく、自分が倒したと世界に宣言してしまっていたからだ。

ワイルズは、彼の教え子だったリチャード・テイラーだけに事実を告白し、誤りを修正する作業に戻った。1994年9月19日、彼は突然の閃きを得た。誤りは致命的な欠陥でなく、真の証明への道筋だったとしたら？　その閃きが正しかったことがすぐに証明された。そしてワイルズは、やっと彼の成果を世に送り出すことができ、証明はつづく3年にわたって彼の仲間たちによって検証された。1997年6月27日、ついにワイルズは、ヴォルフスケール賞を勝ち取った。

2014年

●関係する数学者……………………
マリアム・ミルザハニ
●結論……………………………
ミルザハニは、曲面の性質について画期的な洞察を示し、名誉ある賞を得た。

ものはいかに曲がるか？

リーマン面の動力学

マリアム・ミルザハニは2014年、数学のノーベル賞にあたるフィールズ賞を受賞した。彼女はフィールズ賞を受けた初の女性だっただけでなく、初のイラン人でもあった。2017年の彼女の訃報は数学界に衝撃を与え、悲しみと天才への賛辞が世界中から寄せられた。

ミルザハニの関心領域は高度に抽象的で、仮説的な空間の数学だったため、今のところ実用的な価値があるとは考えにくい。しかし、世界最高水準の知的挑戦だった。想像力を限界まで押し広げ、いずれは現実世界に関する洞察を得られる可能性もある数学なのだ。

曲面

ミルザハニの興味をかき立てたのは、抽象的な曲面の形状と複雑さだった。これらの表面をコンピューター上でつくると、球やサドル型、ドーナツ型など、親しみのある形のようにも見える。しかし、さらにずっと複雑になることも、空間内であちらこちらの方向にねじれることもある。図形が向きを変えて回転するとき、それぞれの図形の異なる側面が明らかになる。画面上で、それらの図形はきらめく虹色でつくられていて、正方形の格子模様が入っている。彩色と格子模様の両方が、それらの図形が何なのかを表している。つまり、複雑な関数のグラフだ。正方形の格子はいわゆるグラフの座標のように働き、色の変化も関数の変化を示している。

リーマン予想

このような曲面はリーマン面と呼ばれる。19世紀ドイツの数学者ベルンハルト・リーマンは、幾何学的な手法で複雑な問題を扱おうと考えた。彼自身がカラフルなコンピューターアニメーションの恩恵を受けることはなかったが、概念としては同じだ。これらの架空の曲面は、複素数や関数を同時に、実数としてマッピングしたものだ。

これらの曲面は、ある意味、地図投影法の逆の操作をしているようなものといえる。地図投影法の基礎を築いたのは、16世紀ネーデルラントの地理学者ゲラルドゥス・メルカトルだ。メルカトルは、世界で初めて、地球の球面を平らな地図に正確に「投影」する方法を見つけた。地球上の緯線と経線は実際には大きく曲がり、経線については極に集まって収束する。メルカトル図法の鍵は、緯線と経線を正方形の格子にすることだった。リーマン面は、その逆で、数値を複素平面から曲線に投影するのだ。

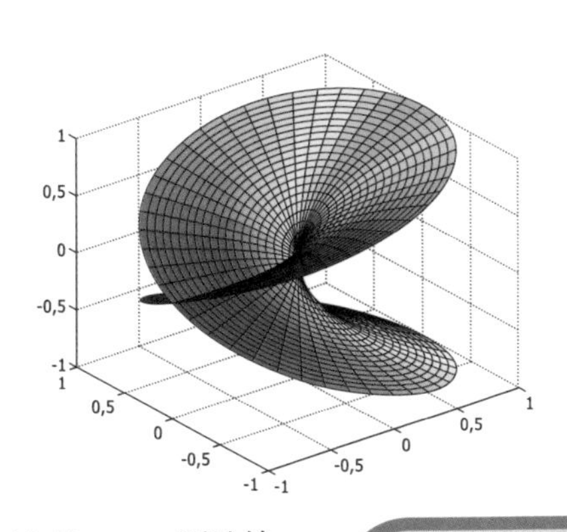

$f(z)=\sqrt{z}$
のリーマン面

リーマンは、彼にちなんで名づけられた面を使って、測地線(曲面上の2点間の最短距離)と曲率(面がユークリッド平面と比べてどれだけ曲がっているか)に関する考えを発展させようとした。多くの変数を同時にマッピングできる多次元空間を作成するのが彼の狙いだった。変数が多ければ多いほど、次元も多くなる。リーマンは、多次元多様体(面)の概念と、計量(グラフ上の長さを測る基準)で定義された距離の概念を使って、現代の微分幾何学の基礎を築いた。

数学を描く

ミルザハニは、これらの数学的な曲面を自在に扱い、目もくらむような新しい方法で壮大な遊びに取り組んだ。彼女は優れた能力で、複雑な数学的問題に対して、リーマン面とモジュライ空間を使って、非常に想像力に富んだ新たな解決策を生み出した。 ミルザハニは床に座って巨大な紙に自身のアイデアをスケッチした。それを見た彼女の幼い娘アナヒタはこう叫んだという。「ああ、ママがまた絵を描いてる!」

ミルザハニは測地線を見つける新しい手法を創造し、さまざまな曲面上を、粒子がどのように流れるかを研究した。たとえばビリヤードの球が、ボブスレーのコースや鞍、球またはドーナツ(数学者がトーラスと呼ぶ輪状の立体)の上を走る様子を想像するといい。 そして彼女は、多角形のテーブルの上で、どのようにビリヤードの球が跳ね回るかを研究した。この研究は、気体の動きに関する重要な洞察をもたらす可能性がある。

双曲面上の測地線

ミルザハニのすばらしい業績のひとつは、双曲面（鞍型）の表面での測地線の研究だった。面が長くなるにつれて、あり得る測地線の本数は指数関数的に増えることがすでに知られていた。しかしミルザハニは、交差する測地線を除くと、多項式的な増大になることを発見した。これによって、彼女は多項式係数を含む複雑な計算のための明確な公式をつくることができた。アメリカの物理学者エドワード・ウィッテンは、ミルザハニの公式を用いて、自身が開拓した最先端物理学理論の弦理論に重要な新しい知見を示すことができた。

ミルザハニの研究は、数学界に大きな衝撃を与えている。さらに、工学や暗号学、宇宙の起源の研究を含む理論物理学の新たな発展につながる可能性もある。

スクトイドとは何か？

2018年

● **関係する数学者**

ペドロ・ゴメス=ガルベスほか

● **結論**

上皮細胞の研究者たちは、細胞がこれまでに観察されたことがない形であることに気づいた。

新たな図形を発見する

2018年、「科学者が新たな立体を発見！」という見出しとともに、ある記事が発表された。記事は「ネイチャー・コミュニケーションズ」のもので、科学者とは、ペドロ・ゴメス＝ガルベスが率いる、数学者と生物学者のチームだ。

生物学者たちは、上皮細胞の構造を研究していた。上皮細胞とは、層状の構造を持ち、皮膚や腸の内側を構成する細胞だ。これらの細胞を綿密に調べたところ、細胞の形が予想とはまったく異なることに気づいた。生物学者たちが想定していたのは角柱だった。つまり、鉛筆の断面のような正六角形の面を持つ柱だ。この形状は、細胞が成長するにつれてぴったりくっつき合い、強力な防水層をつくる。

もちろん、各層は曲げられ、変形し、角を曲げ、骨のまわりを丸く包む必要がある。しかし生物学者たちは、角柱が反対側よりもきつく詰まるように、一端が狭くなっただけだと考えた。ローマの城門のレンガを思い浮かべるとよいだろう。このように先のせばまった円錐に似た角柱は錐台と呼ばれる。この形はハチの巣の構造に見られる。細胞もこの形になると推測された。

角柱

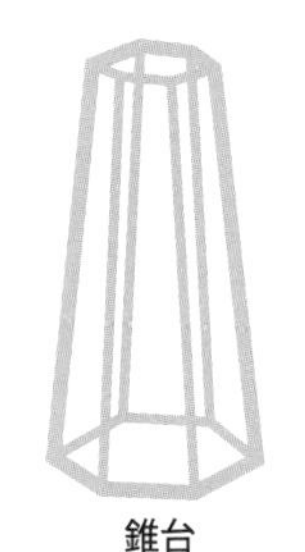

錐台

擬角柱

スクトイド

奇妙な面

しかし、生物学者は、ショウジョウバエの胚の上皮細胞が成長するとき、細胞の一端が特定の角で収縮し、隣の細胞とは異なる形でくっつき合っていることに気づいた。彼らはどうしてこんな構造になっているのか説明できなかったので、数学者のチームに声をかけた。数学者たちの専門は3D充塡パターンだったから、きっと答えを見つけてくれるだろうと考えたのだ。ところが、この作業は数学者チームの予想よりはるかに困難だった。数学者らが知っていたどんな形とも似ていなかったからだ。数学者らはコンピューターモデルを開発し、立体の面がすべての方向に同じように曲がらなければ、錐台にはならないことがわかった。しかし、上皮細胞は成長するにつれてあらゆる形に曲がり、ねじれ、折りたたまれるが、細胞の内側の端と外側の端では、近くの細胞と接する形がまったく違う。角柱ではあり得ないことだ。細胞どうしは境界で接しているが、これらの境界を構築し、維持するにはエネルギーが必要だ。細胞どうしの接触面が大きいほど、より多くのエネルギーを費やす。接する面は小さければ小さいほどいいのだ。

Y字型の側面

モデル製作者たちは最終的に、立体の辺のひとつが上部で三角形に切り落とされた形になるのが最適だという結論に達した。切り落とされた結果、側面の垂線の1本はY字型になる。そんなに想像しやすい形ではないが、鉛筆の断面を考えると、ひとつの角を斜めに切り取れば似た形になるだろう。

この形の美しい点は、両端の面の角の数が異なるだけでなく、切り落とされた三角形の面によって、多くの異なる種類の方向でほかの細胞と密着することだ。この形は、細胞質を包んで、エネルギー使用量を最小限に抑えるのに最適だ。

数学者にとっては見たことがない形で、刺激的な発見だった。この構造が本当に自然が細胞をかたまりにする方法なら、たしかに重要な形である。この構造からは、いくつもの刺激的な数学的特性が発見できる可能性がある。結局のところ、すべての細胞がこの形で発達することには、何か理由があるはずだ。

カブトムシの虫かご

科学者たちは、この新しい形を「スクトイド」と名づけた。切り落とされた三角形の部分が、カブトムシなどの昆虫の背にある三角（小楯板、scutellum）に似ていることがおもな理由だが、チームの一員であるルイス・M・エスクデロにちなんだという人もいる。ともかく、彼らは完璧に数学的な形をつくりあげ、それに名前をつけたわけだから、それが単なる理論上の存在にすぎないのかどうかをたしかめる必要があった。

そこで彼らは、自然界に存在するスクトイドを探しはじめ、ある日突然の発見が訪れた。顕微鏡をのぞき込んだとき、これまで何度も見てきたはずのものの中に、突然スクトイドを見つけたのだ。単にいままで見逃していたのである。それは、個々の上皮細胞が分裂し、集まり、曲がり、折りたたまれて唾液腺と卵室を形成する姿だった。

スクトイド狩り

本格的なスクトイド探しはまだはじまっていないが、誰もがもっと多くの例が見つかることを期待している。われわれ自身がスクトイドでできているかもしれない。一見六角形に見えるいくつかのハチの巣構造は、実際にはスクトイドでつくられている。もちろん、自然界のスクトイドは、コンピューターモデルほど幾何学的に整然と、規則的にできているわけではない。押しつぶされ、伸ばされ、曲がり、ねじれており、常に変化している。しかし、スクトイドの構造が現実に存在し、重要な役割を担っているのは間違いない。

スクトイドは、研究室で人工臓器や組織を成長させるのに役立つかもしれない。3Dプリントのスクトイドが生きている上皮細胞が成長し、自己組織化するための一種の足場となって、正しい形でより速く成長する助けになるかもしれない。数学者たちがこの新たな形の数学を探求しはじめたとき、どんな発見が生まれるか、誰に予測できるだろうか？　そう、ありふれて見える形が、自然界に見た目通りありふれて存在するなら、きっと多くのことを教えてくれるだろう。

索　引

用語解説

アルゴリズム　問題の解決に至る一連の段階。

基数　記数法の基礎になる数で、その記数法で使用される数字の個数。

虚数　i（-1の平方根）に0でない実数をかけて得られる数。

位取り記数法　数が示す値の大きさが、数の中での数字の位置に依存する記数法。

係数　代数学では、代数表現で変数にかける定数。変数の直前に書く。例：$4x$ における4

公準　証明なしで真であるとみなされる、最初の前提。さらに結果を導き出すために使われる。

証明　数学的命題が真であることを示す過程。

数論　整数を研究する数学の分野。

整数　0、および0に1を次々と足したり、0から次々と1を引いたりして得られる数。

素数　1とその数自体でのみ割り切れる数。

対数　ある数が計算の結果ほかの特定の数になるときの指数。

多角形　少なくとも3つの辺を持つ図形。

定理　証明された命題。

統計　データの整理と解釈を扱う数学の分野。

トポロジー　形が変わっても残る幾何学的特性を研究する数学の分野。

2次方程式　変数の最大の次数が2である方程式。

2進法　0と1を使う、基数を2とする数の表記法。

微積分　変化を測定する数学の分野。

フラクタル　部分を拡大しても、全体と同じ模様になる模様。

無限小　何よりも小さい、とり得る最小の量。

無理数　ふたつの整数の比で表せない実数。

予想　まだ証明も反証もされていない、不完全な情報に基づく数学的命題。

流体力学　液体と気体の振る舞いと流れを研究する分野。

理論　数学の分野を説明し、構成する一連の概念原則、命題。

60進法　60を基数とする数の表記法。

論理　記号、公理と推論の規則を使って命題と推論を表現すること。